A-Z SLOUGH and

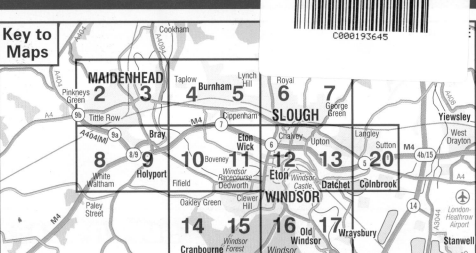

Key to Maps

MAIDENHEAD **2** **3**
Pinkneys Green
9b Tittle Row
Taplow **4** Burnham **5** Lynch Hill
Cippenham
Royal **6** George Green **7**
SLOUGH
Yiewsley
A404(M) 9a Bray
8/9 **9** Holyport
White Waltham **8**
10 Boveney Fifield **11** Eton Wick
Windsor Racecourse Dedworth
Chalvey **12** Eton Windsor Castle
Upton **13** Datchet
Langley Sutton **20** Colnbrook
West Drayton
4b/15 A4
London-Heathrow Airport
14 **15** Windsor Forest Oakley Green Cranbourne Clewer Hill
16 Old Windsor Windsor **17** Wraysbury
Stanwell
Paley Street
Binfield
A329(M)
BRACKNELL
Great Park
Englefield Green **18** EGHAM **19** Egham Hythe
Ascot
Virginia Water
ASHFORD STAINES
13
2/12

| 0 | 1 | 2 Miles |
| 0 | 1 | 2 | 3 Kilometres |

Reference

Motorway M4

A Road A332

B Road B3022

Dual Carriageway

One-way Street
Traffic flow on A roads is indicated by a heavy line on the drivers' left

Restricted Access

Pedestrianized Road

Track & Footpath

Residential Walkway

Railway Station / Level Crossing / Tunnel

Built-up Area HIGH STREET

Local Authority Boundary

Postcode Boundary

Map Continuation 5

Junction Name LANGLEY ROUNDABOUT

Church or Chapel †

Fire Station ■

Hospital H

House Numbers A & B Roads Only 2 33

Information Centre 🛈

National Grid Reference 500

Police Station ▲

Post Office ★

Toilet with Facilities for the Disabled ♿

Educational Establishment

Hospital or Hospice

Industrial Building

Leisure or Recreational Facility

Place of Interest

Public Building

Shopping Centre or Market

Other Selected Buildings

SCALE
1:19,000
3⅓ inches (8.47 cm) to 1 mile
5.26 cm to 1 kilometre

| 0 | ¼ | ½ | ¾ Mile |
| 0 | 250 | 500 | 750 Metres | 1 Kilometre |

Geographers' A-Z Map Company Limited

Head Office:
Fairfield Road, Borough Green, Sevenoaks, Kent TN15 8PP
Telephone 01732 781000 (General Enquiries & Trade Sales)
Showrooms:
44 Gray's Inn Road, London WC1X 8HX
Telephone 020 7440 9500 (Retail Sales)
www.a-zmaps.co.uk

Ordnance Survey® This product includes mapping data licensed from Ordnance Survey® with the permission of the Controller of Her Majesty's Stationery Office.
© Crown Copyright 2001. Licence number 100017302
Copyright © Geographers' A-Z Map Co. Ltd. 2001
EDITION 3 2001

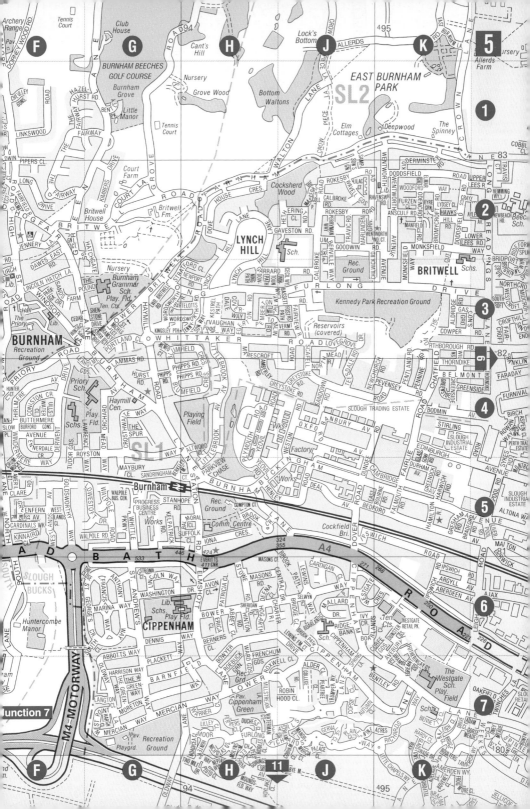

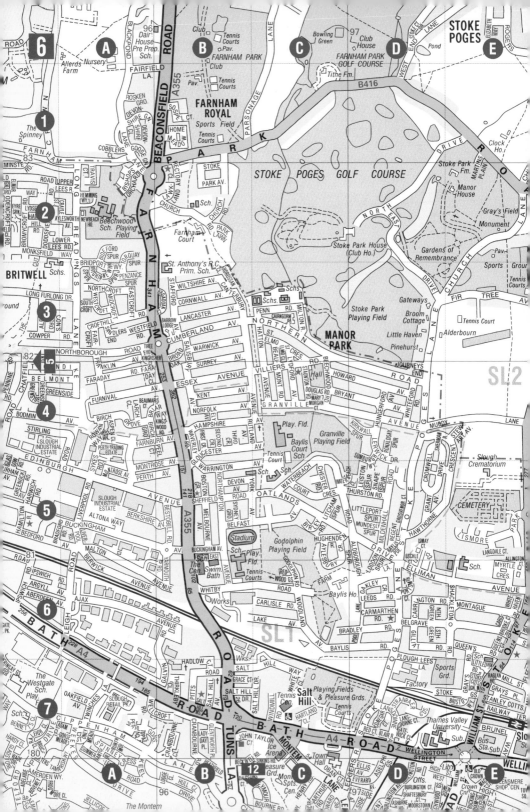

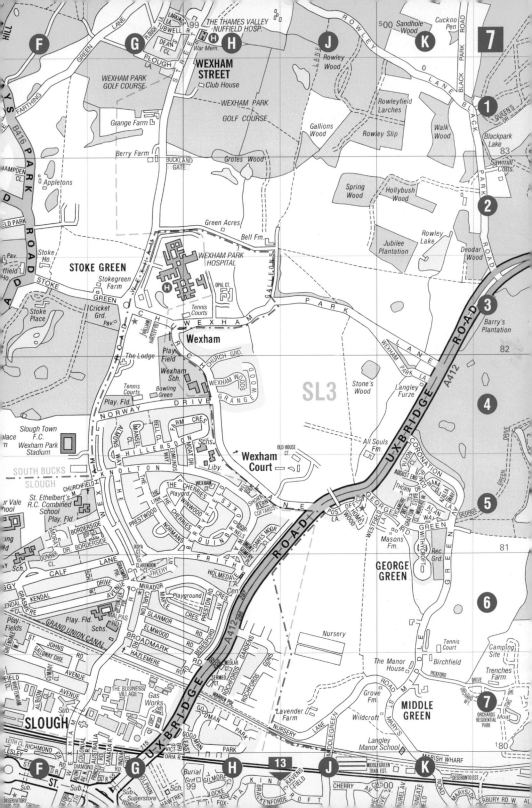

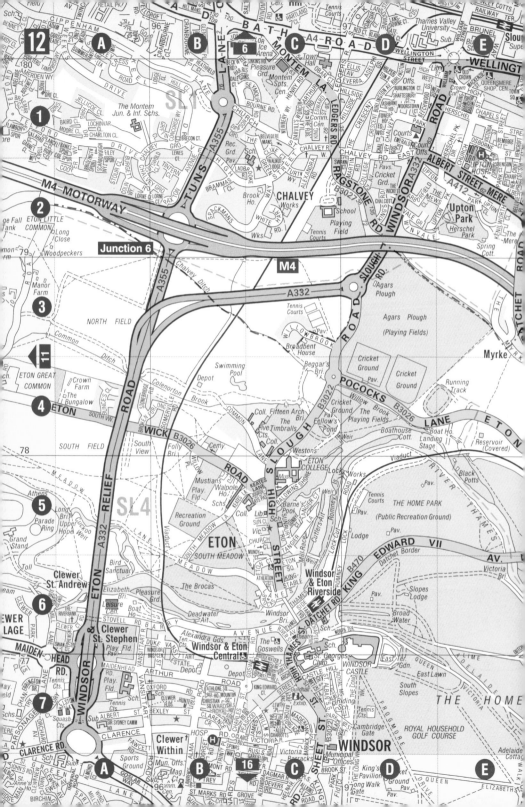

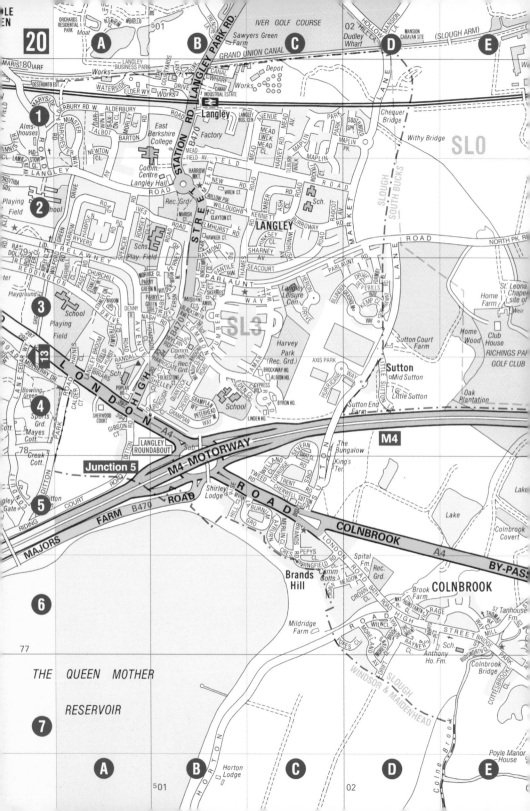

INDEX

Including Streets, Places & Areas, Industrial Estates, Selected Subsidiary Addresses,
Junction Names and Selected Places of Interest.

HOW TO USE THIS INDEX

1. Each street name is followed by its Posttown or Postal Locality and then by its map reference; e.g. Adelaide Sq. *Wind* —1C **16** is in the
Windsor Posttown and is to be found in square 1C on page **16**. The page number being shown in bold type.
A strict alphabetical order is followed in which Av., Rd., St., etc. (though abbreviated) are read in full and as part of the street name;
e.g. Ash Clo. appears after Ashbrook Rd. but before Ashcroft Ct.

2. Streets and a selection of Subsidiary names not shown on the Maps, appear in the index in *Italics* with the thoroughfare to which it is
connected shown in brackets; e.g. *Arches, The. Wind* —7B **12** *(off Goswell Rd.)*

3. Places and areas are shown in the index in **bold type**, the map reference to the actual map square in which the Town or Area is located
and not to the place name; e.g. **Bishops Gate.** —2A **18**

4. An example of a selected place of interest is **Air Force Memorial.** —3D **18**

GENERAL ABBREVIATIONS

All : Alley
App : Approach
Arc : Arcade
Av : Avenue
Bk : Back
Boulevd : Boulevard
Bri : Bridge
B'way : Broadway
Bldgs : Buildings
Bus : Business
Cvn : Caravan
Cen : Centre
Chu : Church
Chyd : Churchyard
Circ : Circle
Cir : Circus
Clo : Close
Comn : Common
Cotts : Cottages

Ct : Court
Cres : Crescent
Cft : Croft
Dri : Drive
E : East
Embkmt : Embankment
Est : Estate
Fld : Field
Gdns : Gardens
Gth : Garth
Ga : Gate
Gt : Great
Grn : Green
Gro : Grove
Ho : House
Ind : Industrial
Info : Information
Junct : Junction
La : Lane

Lit : Little
Lwr : Lower
Mc : Mac
Mnr : Manor
Mans : Mansions
Mkt : Market
Mdw : Meadow
M : Mews
Mt : Mount
Mus : Museum
N : North
Pal : Palace
Pde : Parade
Pk : Park
Pas : Passage
Pl : Place
Quad : Quadrant
Res : Residential
Ri : Rise

Rd : Road
Shop : Shopping
S : South
Sq : Square
Sta : Station
St : Street
Ter : Terrace
Trad : Trading
Up : Upper
Va : Vale
Vw : View
Vs : Villas
Vis : Visitors
Wlk : Walk
W : West
Yd : Yard

POSTTOWN AND POSTAL LOCALITY ABBREVIATIONS

Asc : Ascot
Bray : Bray
Burn : Burnham
Chalv : Chalvey
Cipp : Cippenham
Coln : Colnbrook
Cook : Cookham
Dat : Datchet
Dor : Dorney
Dor R : Dorney Reach
Egh : Egham

Eng G : Englefield Green
Eton : Eton
Eton C : Eton College
Eton W : Eton Wick
Farn C : Farnham Common
Farn R : Farnham Royal
Fif : Fifield
Ful : Fulmer
G Grn : George Green
Holyp : Holyport
Hort : Horton

Iver : Iver
L'ly : Langley
M'head : Maidenhead
Mid : Middlegreen
Oak G : Oakley Green
Old Win : Old Windsor
Slou : Slough
Stai : Staines
Stoke P : Stoke Poges
Tap : Taplow
Thorpe : Thorpe

Thor I : Thorpe Industrial Estate
Vir W : Virginia Water
Water O : Water Oakley
Wex : Wexham
White W : White Waltham
Wind : Windsor
Wind C : Windsor Castle
Wink : Winkfield
Wray : Wraysbury

INDEX

Abbey Clo. *Slou* —6H **5**
Abbots Wlk. *Wind* —1H **15**
Abbotts Way. *Slou* —7G **5**
Abell Gdns. *M'head* —3C **2**
Aberdeen Av. *Slou* —6K **5**
Abingdon Wlk. *M'head* —1F **3**
Acacia Av. *Wray* —3K **17**
Acacia Ho. *Slou* —7E **6**
Acre Pas. *Wind* —7C **12**
Adam Clo. *Slou* —7K **5**
Addington Clo. *Wind* —2K **15**
Addison Ct. *M'head* —3J **3**
Adelaide Clo. *Slou* —1K **11**
Adelaide Rd. *Wind* —7E **12**
Adelaide Sq. *Wind* —1C **16**
Adelphi Gdns. *Slou* —1D **12**
Agars Pl. *Dat* —5F **13**
Air Force Memorial. —3D 18

Ajax Av. *Slou* —6A **6**
Alan Way. *G Grn* —5K **7**
Albany Pk. *Coln* —7E **20**
Albany Pl. *Egh* —3H **19**
Albany Rd. *Old Win* —4F **17**
Albany Rd. *Wind* —1B **16**
Albert Clo. *Slou* —2E **12**
Albert Pl. *Eton W* —4K **11**
Albert Rd. *Eng G* —5D **18**
Albert Rd. *Wind & Old Win*
—2C **16**
Albert St. *M'head* —6G **3**
(in two parts)
Albert St. *Slou* —2E **12**
Albert St. *Wind* —7A **12**
Albion Clo. *Slou* —7F **7**
Albion Ho. *L'ly* —4C **20**
Albion Pl. *Wind* —1K **15**

Aldborough Spur. *Slou* —5D **6**
Aldbourne Rd. *Burn* —4E **4**
Aldebury Rd. *M'head* —2F **3**
Alden Vw. *Wind* —7G **11**
Alderbury Rd. *L'ly & Slou*
—1A **20**
Alderbury Rd. W. *Slou* —1A **20**
Alder Clo. *Eng G* —4E **18**
Alder Clo. *Slou* —7J **5**
Alderside Wlk. *Eng G* —4E **18**
Aldin Av. N. *Slou* —1F **13**
Aldin Av. S. *Slou* —1F **13**
Aldridge Rd. *Slou* —3K **5**
Aldwick Dri. *M'head* —6E **2**
Aldwyn Ct. *Eng G* —5B **18**
Alexander Rd. *Egh* —4H **19**
(in two parts)
Alexandra Rd. *Eng G* —5C **18**

Alexandra Rd. *M'head* —4E **2**
Alexandra Rd. *Slou* —2C **12**
Alexandra Rd. *Wind* —1C **16**
Alice La. *Burn* —3E **4**
Allenby Rd. *M'head* —5C **2**
Allerds Rd. *Farn R* —1J **5**
Allington Ct. *Slou* —5E **6**
Allkins Ct. *Wind* —1C **16**
All Saints Av. *M'head* —4D **2**
Alma Ct. *Burn* —2F **5**
Alma Rd. *Eton W* —3J **11**
Alma Rd. *Wind* —1B **16**
Almond Clo. *Eng G* —5B **18**
Almond Clo. *Wind* —1A **16**
Almond Rd. *Burn* —1E **4**
Almond Ville. *Burn* —2F **5**
Almons Way. *Slou* —4G **7**
Alpha St. N. *Slou* —1F **13**

Brampton Ct. *M'head* —4J **3**
Brands Hill. —5C 20
Brands Rd. *Slou* —5C **20**
Bray. —1K 9
Braybank. *Bray* —1K **9**
Bray Clo. *Bray* —2K **9**
Bray Ct. *M'head* —3K **9**
Brayfield Rd. *Bray* —1K **9**
Bray Rd. *M'head* —6J **3**
Bray Wick. —1H 9
Braywick Rd. *M'head* —6G **3**
Braywood Av. *Egh* —5F **19**
Breadcroft La. *M'head* —2A **8**
(in two parts)
Breadcroft Rd. *M'head* —2A **8**
Brecon Ct. *Chalv* —1B **12**
Bredward Clo. *Burn* —2E **4**
Briar Clo. *Tap* —5E **4**
Briardene. *M'head* —3D **2**
Briars, The. *Slou* —4A **20**
Briar Way. *Slou* —4A **6**
Brickfield La. *Burn* —1D **4**
Bridge Av. *M'head* —5H **3**
Bridge Clo. *Slou* —6J **5**
Bridge Clo. *Stai* —3K **19**
Bridgeman Dri. *Wind* —1K **15**
Bridge Rd. *M'head* —5H **3**
Bridge St. *Coln* —6E **20**
Bridge St. *M'head* —5H **3**
Bridgewater Ct. *Slou* —3B **20**
Bridgewater Ter. *Wind* —7C **12**
Bridgewater Way. *Wind* —7C **12**
Bridle Clo. *M'head* —3F **3**
Bridle Rd. *M'head* —3F **3**
Bridlington Spur. *Slou* —2A **12**
Bridport Way. *Slou* —3A **6**
Brighton Spur. *Slou* —3A **6**
Brill Clo. *M'head* —1E **8**
Bristol Way. *Slou* —7E **6**
Britwell. —2K 5
Britwell Rd. *Burn* —2F **5**
Broadmark Rd. *Slou* —6G **7**
Broad Oak. *Slou* —3B **6**
Broadoak Ct. *Slou* —3B **6**
Broad Platts. *Slou* —2J **13**
Broadwater Clo. *Wray* —6K **17**
Broadwater Pk. *M'head* —4B **10**
Broadway. *M'head* —5G **3**
Broadway. *Wink* —7E **14**
Brocas St. *Eton* —6C **12**
Brock La. *M'head* —5G **3**
Brockton Ct. *M'head* —6G **3**
Brockway Ho. *L'ly* —4C **20**
Broken Furlong. *Eton* —4A **12**
Brompton Dri. *M'head* —3D **2**
Bromycroft Rd. *Slou* —2K **5**
Brook Cres. *Slou* —5H **5**
Brookdene Clo. *M'head* —2G **3**
Brook Path. *Slou* —5J **5**
(in two parts)
Brookside. *Coln* —6D **20**
Brookside Av. *Wray* —2K **17**
Brook St. *Wind* —1C **16**
Broom Farm Est. *Wind* —1F **15**
Broom Ho. *L'ly* —3A **20**
Brownfield Gdns. *M'head* —7F **3**
Bruce Clo. *Slou* —7K **5**
Bruce Wlk. *Wind* —1G **15**
Brudenell. *Wind* —2J **15**
Brunel Clo. *M'head* —7F **3**
Brunel Rd. *M'head* —7E **2**
Brunel Way. *Slou* —7E **6**
Bryant Av. *Slou* —4C **6**
Bryer Pl. *Wind* —2G **15**
Buccleuch Rd. *Dat* —6F **13**
Buckingham Av. *Slou* —5H **5**
Buckingham Av. E. *Slou* —5B **6**
Buckingham Gdns. *Slou*
—1E **12**
Buckland Av. *Slou* —3G **13**

Buckland Cres. *Wind* —7J **11**
Buckland Ga. *Wex* —2G **7**
Bucklebury Clo. *Holyp* —4K **9**
Buffins. *Tap* —2B **4**
Bulkeley Av. *Wind* —2A **16**
Bulkeley Clo. *Eng G* —4C **18**
Bunce's Clo. *Eton W* —4A **12**
Bunten Meade. *Slou* —7A **6**
Burcot Gdns. *M'head* —1F **3**
Burfield Rd. *Old Win* —5F **17**
Burford Gdns. *Slou* —4F **5**
Burgett Rd. *Slou* —2A **12**
Burlington Av. *Slou* —1D **12**
Burlington Ct. *Slou* —1D **12**
Burlington Rd. *Burn* —3E **4**
Burlington Rd. *Slou* —1D **12**
Burnetts Rd. *Wind* —7H **11**
Burnham. —3F 5
Burnham Clo. *Wind* —1G **15**
Burnham La. *Slou* —4G **5**
Burn Wlk. *Burn* —2E **4**
Burroway Rd. *Slou* —2C **20**
Burton Way. *Wind* —2H **15**
Business Village, The. *Slou*
—7G **7**
Butlers Clo. *Wind* —7G **11**
Buttermere Av. *Slou* —4F **5**
Buttermere Way. *Egh* —6H **19**
Byland Dri. *M'head* —4J **3**
Byron Ct. *Wind* —2K **15**
Byron Ho. *L'ly* —4C **20**
Byways. *Burn* —4D **4**

Caddy Clo. *Egh* —4G **19**
Cadogan Clo. *Holyp* —5H **9**
Cadwell Dri. *M'head* —2E **8**
Cairngorm Pl. *Slou* —3C **6**
Calbroke Rd. *Slou* —3J **5**
Calbrooke Rd. *Slou* —2J **5**
Calder Clo. *M'head* —3F **3**
Calder Ct. *L'ly* —4A **20**
Calder Ct. *M'head* —3E **2**
Callow Hill. *Vir W* —7C **18**
Cambria Ct. *Slou* —1H **13**
Cambria Ct. *Stai* —3K **19**
Cambridge Av. *Burn* —1E **4**
Cambridge Av. *Slou* —5J **5**
Cambridge Ho. *Wind* —7B **12**
Camden Rd. *M'head* —3E **2**
Camley Gdns. *M'head* —4B **2**
Camley Pk. Dri. *M'head* —4A **2**
Camm Av. *Wind* —2H **15**
Camperdown. *M'head* —3J **3**
Canada Rd. *Slou* —1G **13**
Canadian Memorial Av. *Asc*
—7A **18**
Canal Ind. Est. *L'ly* —1B **20**
Canal Wharf. *L'ly* —1B **20**
Cannock Clo. *M'head* —6J **3**
Cannon Ct. Rd. *M'head* —1E **2**
(in two parts)
Cannon La. *M'head* —6B **2**
Canon Hill Clo. *Slou* —2J **9**
Canon Hill Dri. *Slou* —2J **9**
Canon Hill Way. *M'head* —3J **9**
Canterbury Av. *Slou* —3B **6**
Cardigan Clo. *Slou* —6J **5**
Cardinals Wlk. *Tap* —5E **5**
Carey Clo. *Wind* —2A **16**
Carisbrooke Clo. *M'head* —7D **2**
Carisbrooke Ct. *Slou* —6E **6**
Carlisle Rd. *Slou* —6C **6**
Carlton Rd. *Slou* —6G **7**
Carmarthen Rd. *Slou* —6D **6**
Carrington Rd. *Slou* —6D **6**
Carter Clo. *Wind* —1K **15**
Castle Av. *Dat* —5F **13**
Castle Clo. *M'head* —5E **2**
Castle Dri. *M'head* —5E **2**

Castle Hill. *M'head* —5F **3**
Castle Hill. *Wind* —7C **12**
Castle Hill Rd. *Egh* —3B **18**
Castle Hill Ter. *M'head* —5F **3**
Castle M. *M'head* —5F **3**
Castle St. *Slou* —2E **12**
Castleview Pde. *Slou* —3J **13**
Castleview Rd. *Slou* —3H **13**
Causeway Est. *Stai* —3H **19**
Causeway, The. *Bray* —1J **9**
(in two parts)
Causeway, The. *Stai* —3J **19**
Cavalry Cres. *Wind* —2B **16**
Cavendish Clo. *Tap* —5D **4**
Cawcott Dri. *Wind* —7H **11**
Cecil Way. *Slou* —3J **5**
Cedar Chase. *Tap* —3A **4**
Cedar Clo. *Burn* —3F **5**
Cedar Ct. *Egh* —3G **19**
Cedar Ct. *Wind* —1K **15**
Cedars Rd. *M'head* —5H **3**
Cedars, The. *Slou* —2J **5**
Cedar Way. *Slou* —4K **13**
Cell Farm Av. *Old Win* —4G **17**
Central Dri. *Slou* —6H **5**
Central La. *Wink* —7E **14**
Central Way. *Wink* —7E **14**
Centre Rd. *Wind* —6F **11**
Century Rd. *Stai* —4J **19**
Chalcott. *Chalv* —2D **12**
Chalgrove Clo. *M'head* —6J **3**
Challow Ct. *M'head* —3E **2**
Chalvey. —2C 12
Chalvey Gdns. *Slou* —1D **12**
Chalvey Gro. *Slou* —2A **12**
Chalvey Pk. *Slou* —1D **12**
Chalvey Rd. E. *Slou* —1D **12**
Chalvey Rd. W. *Slou* —1C **12**
Chandlers Quay. *M'head* —5K **3**
Chandos Mall. Chalv —1E 12
(off Wellington St.)
Chandos Rd. *Stai* —4K **19**
Chantry Clo. *Wind* —7K **11**
Chapel Ct. *M'head* —1E **8**
Chapels Clo. *Slou* —7H **5**
Chapel St. *Slou* —1E **12**
Chapter M. *Wind* —6C **12**
Chariotts Pl. *Wind* —7C **12**
Charles Gdns. *Slou* —5G **7**
Charles Ho. *Wind* —7B **12**
Charles St. *Wind* —7B **12**
Charlton. *Wind* —1F **15**
Charlton Clo. *Slou* —1A **12**
Charlton Pl. Wind —1F 15
(off Charlton Way)
Charlton Row. *Wind* —1F **15**
Charlton Sq. Wind —1F 15
(off Guards Rd.)
Charlton Wlk. *Wind* —1F **15**
Charlton Way. *Wind* —1F **15**
Charta Rd. *Egh* —4J **19**
Charter Clo. *Slou* —2E **12**
Charter Rd. *Slou* —6H **5**
Chase, The. *M'head* —2E **2**
Chatfield. *Slou* —4K **5**
Chatsworth Clo. *M'head* —7D **2**
Chaucer Clo. *Wind* —2C **16**
Chauntry Clo. *M'head* —6K **3**
Chauntry Rd. *M'head* —6J **3**
Cheniston Gro. *M'head* —5A **2**
Cherington Ga. *M'head* —3C **2**
Cherries, The. *Slou* —5G **7**
Cherry Av. *Slou* —1J **13**
Cherrywood Av. *Eng G* —6B **18**
Chertsey La. *Stai* —4K **19**
Cherwell Clo. *M'head* —4H **3**
Cherwell Clo. *Slou* —5C **20**
Cheshire Ct. *Slou* —1G **13**
Chester Rd. *Slou* —5C **6**
Chestnut Av. *Slou* —1J **13**

Chestnut Clo. *Eng G* —5B **18**
Chestnut Clo. *M'head* —3J **3**
Chestnut Dri. *Eng G* —5D **18**
Chestnut Dri. *Wind* —3H **15**
Chestnut Pk. *Bray* —3B **10**
Cheveley Gdns. *Burn* —1F **5**
Cheviot Clo. *M'head* —6J **3**
Cheviot Rd. *Slou* —4B **20**
Chichester Ct. *Slou* —2G **13**
Chiltern Rd. *Burn* —4E **4**
Chiltern Rd. *M'head* —6J **3**
Chilton Ct. *Tap* —5F **5**
Chilwick Rd. *Slou* —3J **5**
Christian Sq. *Wind* —7B **12**
Church Clo. *Eton* —5C **12**
Church Clo. *M'head* —6E **2**
Church Dri. *Bray* —1K **9**
Churchfield M. *Slou* —5F **7**
Church Gro. *Wex* —4H **7**
Church Hill. *White W* —5A **8**
Churchill Rd. *Slou* —3A **20**
Church Island. *Stai* —3K **19**
Church Lammas. —2K 19
Church La. *Bray* —1K **9**
Church La. *Stoke P* —3E **6**
Church La. *Wex* —3G **7**
Church La. *Wind* —7C **12**
Church Path. *Bray* —1K **9**
Church Rd. *Egh* —4F **19**
Church Rd. *Farn R* —2B **6**
Church Rd. *M'head* —7J **3**
Church Rd. *Old Win & Wink*
—4G **17**
Church St. *Burn* —3F **5**
Church St. *Chalv* —1B **12**
Church St. *Slou* —1E **12**
Church St. *Stai* —3K **19**
Church St. *Wind* —7C **12**
Church Vw. *White W* —5A **8**
Church Views. *M'head* —4G **3**
Church Wlk. *Burn* —3E **4**
Cippenham. —6H 5
Cippenham Clo. *Slou* —6J **5**
Cippenham La. *Slou* —6J **5**
Clandon Av. *Egh* —6J **19**
Clappers Mdw. *M'head* —3J **3**
Clarefield Clo. *M'head* —3B **2**
Clarefield Dri. *M'head* —3B **2**
Clarefield Rd. *M'head* —3C **2**
Clare Gdns. *Egh* —4G **19**
Claremont Rd. *Stai* —4K **19**
Claremont Rd. *Wind* —1B **16**
Clarence Ct. Egh —4F 19
(off Clarence St.)
Clarence Cres. *Wind* —7B **12**
Clarence Dri. *Eng G* —3C **18**
Clarence Rd. *Wind* —1K **15**
Clarence St. *Egh* —5F **19**
Clarendon Ct. *Slou* —6G **7**
Clare Rd. *M'head* —6E **2**
Clare Rd. *Tap* —5F **5**
Clayhall La. *Old Win* —4E **16**
Clayton Ct. *L'ly* —2B **20**
Cleares Pasture. *Burn* —2E **4**
Clements Clo. *Slou* —1G **13**
Cleveland Clo. *M'head* —6J **3**
Cleves Ct. *Wind* —2J **15**
Clewer Av. *Wind* —1K **15**
Clewer Ct. Rd. *Wind* —6A **12**
Clewer Fields. *Wind* —7B **12**
Clewer Green. —1J 15
Clewer Hill. —2H 15
Clewer Hill Rd. *Wind* —1H **15**
Clewer New Town. —1A 16
Clewer New Town. *Wind*
—1K **15**
Clewer Pk. *Wind* —6K **11**
Clewer St Andrew. —6K 11
Clewer St Stephen. —6A 12

Clewer Village. —7K 11
Clewer Within. —7B 12
Clifton Clo. *M'head* —1G 9
Clifton Ri. *Wind* —7G 11
Clifton Rd. *Slou* —1G 13
Clive Ct. *Slou* —1C 12
Cliveden Mead. *M'head* —2J 3
Cliveden Rd. *Tap* —3A 4
Clivemont Rd. *M'head* —3G 3
Clockhouse La. E. *Egh* —6H 19
Clockhouse La. W. *Egh* —6G 19
Clonmel Way. *Burn* —2E 4
Close, The. *Slou* —6G 5
Coalmans Way. *Tap* —4D 4
Cobb Clo. *Dat* —7J 13
Cobblers Clo. *Farn R* —1A 6
Cobham Clo. *Slou* —1J 11
Cockett Rd. *Slou* —2K 13
Coe Spur. *Slou* —1A 12
Coftards. *Slou* —5H 7
Colenorton Cres. *Eton W* —3H 11
Colin Way. *Slou* —2A 12
College Av. *Egh* —5H 19
College Av. *M'head* —5F 3
College Av. *Slou* —2D 12
College Cres. *Wind* —1A 16
College Glen. *M'head* —5E 2
College Ri. *M'head* —5E 2
College Rd. *Cipp* —7J 5
College Rd. *M'head* —4E 2
Collier Clo. *M'head* —3G 3
Colnbrook. —6E 20
Colnbrook By-Pass. *Coln & Slou* —5D 20
Coln Clo. *M'head* —4G 3
Colne Way. *Stai* —1H 19
Colonial Rd. *Slou* —1F 13
Combermere Clo. *Wind* —1A 16
Common La. *Eton C* —4B 12
Common Rd. *Dor* —3F 11
Common Rd. *Eton W* —4J 11
Common Rd. *Slou* —3B 20
Compton Ct. *Burn* —5H 5
Compton Dri. *M'head* —4B 2
Concorde Rd. *M'head* —1E 8
Concorde Way. *Slou* —1B 12
Conduit La. *Dat* —5K 13
Conegar Ct. *Slou* —7D 6
Conifer La. *Egh* —4J 19
Coningsby Clo. *M'head* —2E 8
Coningsby La. *Fif* —7K 9 & 1A 14
Coniston Cres. *Burn* —4F 5
Coniston Way. *Egh* —6H 19
Connaught Clo. *M'head* —3F 3
Connaught Rd. *Slou* —1G 13
Convent Rd. *Wind* —1J 15
Conway Rd. *Tap* —5E 4
Cookham Rd. *M'head* —2F 3
Coombe Hill Ct. *Wind* —2G 15
Coopers Hill La. *Egh & Eng G* (in three parts) —2C 18
Cooper Way. *Slou* —2A 12
Cope Ct. *M'head* —5D 2
Copper Beech Clo. *Wind* —7G 11
Coppice La. *Wray* —6J 17
Copse Clo. *Slou* —7J 5
Copse, The. *Wink* —7D 14
Copthorn Clo. *M'head* —1B 8
Corby Clo. *Eng G* —5C 18
Corby Dri. *Eng G* —5B 18
Cordwallis Pk. *M'head* —4F 3
Cordwallis Rd. *M'head* —4F 3
Cordwallis St. *M'head* —4F 3
Corfe Gdns. *Slou* —6K 5
Corfe Pl. *M'head* —5D 2
Cornwall Av. *Slou* —3B 6
Cornwall Clo. *Eton W* —4H 11
Cornwall Clo. *M'head* —2F 3
Cornwall Clo. *Stai* —5K 19
Cornwall Way. *Stai* —5K 19

Cornwell Rd. *Old Win* —5F 17
Coronation Av. *G Grn* —4K 7
Coronation Av. *Wind* —1F 17
Cotswold Clo. *M'head* —6J 3
Cotswold Clo. *Slou* —2B 12
Cottesbrooke Clo. *Coln* —7E 20
Coulson Way. *Burn* —4E 4
Court Clo. *M'head* —3K 9
Court Cres. *Slou* —5C 6
Courtfield Ri. *M'head* —1K 3
Courtfield Dri. *M'head* —6D 2
Courthouse Rd. *M'head* —5D 2
Courtlands. *M'head* —6G 3
Courtlands Av. *Slou* —3J 13
Court La. *Burn* —2G 5
Court La. *Dor* —2D 10
Court Rd. *M'head* —2K 3
Courtyards, The. *L'ly* —1B 20
Coverdale Way. *M'head* —3H 5
Cowper Rd. *Slou* —3K 5
Cox Green. —2C 8
Cox Grn. La. *M'head* —2C 8
Cox Grn. Rd. *M'head* —1D 8
Crabtree Office Village. *Egh* —7J 19
Crabtree Rd. *Egh & Thor I* —7J 19
Cranbourne. —7E 14
Cranbourne Av. *Wind* —1J 15
Cranbourne Clo. *Slou* —7B 6
Cranbourne Hall Cvn. Site. *Wink* —7D 14
Cranbourne Hall Cotts. *Wind* —7E 14
Cranbourne Rd. *Slou* —7B 6
Cranbrook Dri. *M'head* —3C 2
Craufurd Av. *M'head* —4F 3
Craufurd Ri. *M'head* —4F 3
Crayle St. *Slou* —2K 5
Creden Clo. *M'head* —3E 2
Crescent Dale. *M'head* —6G 3
Crescent Dri. *M'head* —5F 3
Crescent, The. *Egh* —5E 18
Crescent, The. *M'head* —5F 3
Crescent, The. *Slou* —1D 12
Cress Rd. *Slou* —1A 12
Cresswells Mead. *M'head* —4J 9
Crimp Hill. *Old Win & Egh* —6E 16
Croft Corner. *Old Win* —4G 17
Crofters. *Old Win* —5F 17
Crofthill Rd. *Slou* —3A 6
Croft, The. *M'head* —7D 2
Cromwell Dri. *Slou* —5D 6
Cromwell Rd. *M'head* —5E 2
Cross Oak. *Wind* —1C 16
Crossways. *Egh* —5K 19
Crosthwaite Way. *Slou* —4G 5
Crouch La. *Wink* —6B 14
Crown Clo. *Coln* —6D 20
Crown La. *Farn R* —1K 5
Crown La. *M'head* —2C 18
Crown Mdw. *Coln* —6C 20
Crown St. *Egh* —4G 19
Crow Tree La. *Farn R* —1J 5 (in two parts)
Croxley Ri. *M'head* —6E 2
Crummock Clo. *Slou* —5F 5
Culham Dri. *M'head* —2F 3
Cullerns Pas. *M'head* —6G 3
Culley Way. *M'head* —1B 8
Cumberland Av. *Slou* —3B 6
Cumberland St. *Stai* —4K 19
Cumbrae Clo. *Slou* —7F 7
Cumbria Clo. *M'head* —1D 8
Curls La. *M'head* —1F 9
Curls Rd. *M'head* —1E 8
Curzon Mall. *Slou* —1E 12 (off Wellington St.)
Cut, The. *Slou* —3K 5

Cypress Ho. *L'ly* —4C 20
Cypress Wlk. *Eng G* —5B 18

Dagmar Rd. *Wind* —1C 16
Dairy Ct. *Holyp* —6H 9
Dale Ct. *Chalv* —1B 12
Daleham Av. *Egh* —5G 19
Damson Gro. *Slou* —1B 12
Dandridge Clo. *Slou* —1J 3
Danehurst Clo. *Egh* —5E 18
Darkhole Ride. *Wind* —3D 14
Darling's La. *M'head* —4A 2
Darrell Clo. *Slou* —3A 20
Dart Clo. *Slou* —4C 20
Darvill's La. *Slou* —1C 12
Darwin Rd. *Slou* —1A 20
Dashwood Clo. *Slou* —3H 13
Datchet. —6G 13
Datchet Common. —7J 13
Datchet Pl. *Dat* —7G 13
Datchet Rd. *Hort* —2K 17
Datchet Rd. *Old Win* —3F 17
Datchet Rd. *Slou* —3E 12
Datchet Rd. *Wind* —6C 12
Dawes E. Rd. *Burn* —3F 5
Dawes Moor Clo. *Slou* —5H 7
Dawson Clo. *Wind* —1K 15
Deal Av. *Slou* —5J 5
Dean Clo. *Wind* —2G 15
Deans Clo. *Stoke P* —1G 7
Deansfield Clo. *M'head* —2E 2
Dedworth. —1H 15
Dedworth Dri. *Wind* —7J 11
Dedworth Rd. *Wind* —1F 15
Deena Clo. *Slou* —6H 5
Deepfield. *Dat* —6G 13
Dee Rd. *Wind* —6F 11
Deerswood. *M'head* —3H 3
Dell, The. *M'head* —2A 8
Delta Way. *Egh* —7J 19
Denham Clo. *M'head* —6D 2
Denham Rd. *Egh* —3G 19
Denmark St. *M'head* —4F 3
Dennis Way. *Slou* —6G 5
Denny Rd. *Slou* —3A 20
Depot Rd. *M'head* —6G 3
Derek Rd. *M'head* —4K 3
De Ros Pl. *Egh* —5G 19
Derwent Dri. *M'head* —4E 2
Derwent Dri. *Slou* —4F 5
Derwent Rd. *Egh* —6H 19
Desborough Cres. *M'head* —7D 2
Deseronto Est. *Slou* —1K 13
Devereux Rd. *Wind* —1C 16
Deverills Way. *Slou* —3D 20
Devil's La. *Egh & Stai* —5J 19 (in three parts)
Devon Av. *Slou* —5B 6
Devonshire Clo. *Farn R* —1A 6
Devonshire Grn. *Farn R* —1A 6
Dhoon Ri. *M'head* —6G 3
Diamond Rd. *Slou* —1F 13
Diana Clo. *G Grn* —5K 7
Disraeli Ct. *Coln* —5C 20
Ditton Pk. Rd. *Slou* —5K 13
Ditton Rd. *Dat* —7J 13
Ditton Rd. *Slou* —4A 20
Doddsfield Rd. *Slou* —2K 5
Dolphin Ct. *Slou* —1G 13
Dolphin Rd. *Slou* —1G 13
Donnington Gdns. *M'head* —3G 3
Dorchester Clo. *M'head* —3C 2
Dornels. *Slou* —5H 7
Dorney. —2F 11
Dorney Reach. —2C 10
Dorney Reach Rd. *Dor R* —2C 10
Dorney Wood Rd. *Burn* —1F 5

Dorset Rd. *Wind* —1B 16
Douglas Rd. *Slou* —4C 6
Dove Ho. Cres. *Slou* —2H 5
Dover Rd. *Slou* —5J 5
Dower Pk. *Wind* —3H 15
Downing Path. *Slou* —3H 5
Down Pl. *Water O* —5D 10
Downs Rd. *Slou* —1J 13
Drake Av. *Slou* —3J 13
Drift Rd. *M'head & Wink* —3A 14
Drift Rd. *Wink* —6D 14
Drift Way. *Coln* —7D 20
Drive, The. *Dat* —7G 13
Drive, The. *Slou* —1K 13
Drive, The. *Wray* —4J 17
Dropmore Rd. *Burn* —1F 5
Duchess St. *Slou* —7H 5
Dudley Ct. *Slou* —7D 6
Duffield Pk. *Stoke P* —2F 7
Dugdale Ho. *Egh* —4J 19 (off Pooley Grn. Rd.)
Duke St. *Slou* —6B 12
Dunbar Clo. *Slou* —6F 7
Duncannon Cres. *Wind* —2G 15
Duncroft. *Stai* —3K 19
Duncroft. *Wind* —2J 15
Dundee Rd. *Slou* —5J 5
Dungrove Hill La. *M'head* —1A 2
Dunholme End. *M'head* —2E 8
Dunster Gdns. *Slou* —6K 5
Dunwood Ct. *M'head* —7D 2
Dupre Clo. *Slou* —1H 11
Durham Av. *Slou* —5K 5
Dutch Elm Av. *Wind* —6E 12
Dyson Clo. *Wind* —2A 16

Earlsfield. *Holyp* —3K 9
Earls La. *Slou* —7J 5
Eastbourne Rd. *Slou* —5K 5
East Bri. *Slou* —7G 7
E. Burnham La. *Farn R* —1K 5
East Cres. *Wind* —7J 11
Eastcroft. *Slou* —3A 6
East Dri. *Stoke P* —2D 6
Eastfield Clo. *Slou* —2F 13
Eastfield Rd. *Burn* —4D 4
East Rd. *M'head* —5F 3
Ebsworth Clo. *M'head* —1K 3
Eden Clo. *Slou* —4B 20
Edinburgh Av. *Slou* —4K 5
Edinburgh Gdns. *Wind* —1C 16
Edinburgh Rd. *M'head* —3F 3
Edith Rd. *M'head* —5B 2
Edmunds Way. *Slou* —4G 7
Edwards Ct. *Slou* —1D 12
Egerton Rd. *Slou* —3H 5
Egham. —4G 19
Egham Bus. Village. *Egh* —7J 19
Egham By-Pass. *Egh* —4F 19
Egham Hill. *Egh* —5D 18
Egham Hythe. —4K 19
Egham Mus. —4G 19
Egham Roundabout. *Stai* —4K 19
Egham Wick. —6A 18
Egremont Gdns. *Slou* —7K 5
Eight Acres. *Burn* —3E 4
Elder Way. *L'ly* —1A 20
Elizabeth Ct. *Slou* —1F 13
Elizabeth Way. *Stoke P* —1E 6
Elliman Av. *Slou* —6D 6
Elliman Sq. *Slou* —1E 12 (off High St.)
Ellington Ct. *Tap* —5K 3
Ellington Gdns. *Tap* —5K 3
Ellington Pk. *M'head* —3F 3
Ellington Rd. *Tap* —5K 3
Ellis Av. *Slou* —1D 12
Ellison Clo. *Wind* —2J 15

Elmar Grn. *Slou* —2K **5**
Elmbank Av. *Eng G* —5B **18**
Elm Cft. *Dat* —7H **13**
Elm Dri. *Wink* —7E **14**
Elm Gro. *M'head* —5F **3**
Elmhurst Rd. *Slou* —2B **20**
Elm Rd. *Wind* —2A **16**
Elmshott La. *Slou* —6H **5**
Elmwood. *M'head* —1J **3**
Elmwood Rd. *Slou* —6G **7**
Eltham Av. *Slou* —1H **11**
Elton Dri. *M'head* —4E **2**
Elwell Clo. *Egh* —5G **19**
Ely Av. *Slou* —4B **6**
Embankment, The. *Wray* —6H **17**
Ember Rd. *Slou* —2C **20**
Emerald Ct. *Slou* —1D **12**
Englefield Clo. *Eng G* —5C **18**
Englefield Green. —4C 18
Englehurst. *Eng G* —5C **18**
English Gdns. *Wray* —3J **17**
Ennerdale Cres. *Slou* —4F **5**
Erica Clo. *Slou* —6H **5**
Errington Dri. *Wind* —7K **11**
Eschle Ct. *Slou* —5D **6**
Eskdale Gdns. *M'head* —3J **9**
Essex Av. *Slou* —4B **6**
Eton. —5C 12
Eton Clo. *Dat* —5F **13**
Eton Ct. *Eton* —6C **12**
Eton Rd. *Dat* —4E **12**
Eton Sq. *Eton* —6C **12**
Eton Wick. —3H 11
Eton Wick Rd. *Eton & Eton C*
—3H **11**
Evenlode. *M'head* —4G **3**
Everard Av. *Slou* —1D **12**
Evergreen Oak Av. *Wind* —2F **17**
Everitts Corner. *Slou* —6H **5**
Eversley Way. *Egh & Thor I*
—7J **19**
Eyre Grn. *Slou* —2K **5**

Fair Acre. *M'head* —6D **2**
Fairacres Ind. Est. *Wind* —1F **15**
Faircroft. *Slou* —3A **6**
Fairfield App. *Wray* —5J **17**
Fairfield Av. *Dat* —6H **13**
Fairfield Clo. *Dat* —6J **13**
Fairfield La. *Farn R* —1A **6**
Fairfield Rd. *Burn* —2F **5**
Fairfield Rd. *Wray* —5J **17**
Fairford Rd. *M'head* —4G **3**
Fairhaven. *Egh* —4F **19**
Fairhaven Ct. *Egh* —4F **19**
Fairlawn Pk. *Wind* —3H **15**
Fairlea. *M'head* —1B **8**
Fairlie Rd. *Slou* —5K **5**
Fairlight Av. *Wind* —1C **16**
Fairview Rd. *Slou* —3J **5**
Fairview Rd. *Tap* —5D **4**
Fairway, The. *Burn* —1F **5**
Fairway, The. *M'head* —2C **8**
Falaise. *Egh* —4E **18**
Falconwood. *Egh* —4E **18**
Fallows, The. *M'head* —3H **3**
Falmouth Rd. *Slou* —5K **5**
Fane Way. *M'head* —1E **8**
Faraday Clo. *Slou* —4A **6**
Faraday Rd. *Slou* —4A **6**
Farm Clo. *Holyp* —4K **9**
Farm Clo. *M'head* —5B **2**
Farm Cres. *Slou* —4G **7**
Farm Dri. *Old Win* —5G **17**
Farmers Clo. *M'head* —1B **8**
Farmers Rd. *Stai* —4K **19**
Farmers Way. *M'head* —7B **2**
Farm La. *Cipp* —6C **6**
Farm Rd. *M'head* —5B **2**

Farm Rd. *Tap* —5D **4**
Farm Yd. *Wind* —6C **12**
Farnburn Av. *Slou* —4A **6**
Farnham La. *Farn R & Slou*
—2H **5**
Farnham Rd. *Farn R & Slou*
—2A **6**
Farnham Royal. —1B 6
Farthingales, The. *M'head* —5J **3**
Farthing Grn. La. *Stoke P* —1F **7**
Fawcett Rd. *Wind* —7A **12**
Fawley Clo. *M'head* —2E **2**
Feathers La. *Wray* —1G **19**
Ferndale Pk. *Bray* —5B **10**
Fern Dri. *Tap* —5E **4**
Fernley Ct. *M'head* —3E **2**
Ferrers Clo. *Slou* —7H **5**
Ferry La. *Wray* —1H **19**
Ferry Rd. *Bray* —1K **9**
Fetty Pl. *M'head* —1E **8**
Fieldhurst. *Slou* —4A **20**
Fielding Gdns. *Slou* —1H **13**
Fielding Rd. *M'head* —5C **2**
Fieldings, The. *Holyp* —6H **9**
Fields, The. *Slou* —1C **12**
Field Vw. *Egh* —4J **19**
Fifield. —7A 10
Fifield La. *Wink* —3A **14**
Fifield Rd. *M'head* —6A **10**
Filey Spur. *Slou* —1A **12**
Filmer Rd. *Wind* —1G **15**
Finch Ct. *M'head* —7E **2**
Firbank Pl. *Eng G* —5B **18**
Firs Av. *Wind* —2J **15**
Firs Dri. *Slou* —7K **7**
Firs La. *M'head* —1A **8**
First Cres. *Slou* —4B **6**
Fir Tree Av. *Stoke P* —3E **6**
Fishery. —6J 3
Fishery Rd. *M'head* —7J **3**
Fishguard Spur. *Slou* —1G **13**
Fitzrobert Pl. *Egh* —5G **19**
Flamborough Spur. *Slou* —1K **11**
Flanders Ct. *Egh* —4J **19**
Fleetwood Rd. *Slou* —7E **6**
Florence Av. *M'head* —4G **3**
Foliejohn Way. *M'head* —3A **8**
Folkestone Clo. *Slou* —4B **20**
Follett Clo. *Old Win* —5G **17**
Folly Way. *M'head* —5F **3**
Fontwell Clo. *M'head* —4A **2**
Forbe's Ride. *Wind* —5D **14**
Forest Grn. Rd. *M'head*
—7F **9** & 1A **14**
Forest Rd. *M'head* —7G **15**
(Cranbourne)
Forest Rd. *Wind* —1G **15**
(Windsor)
Forlease Clo. *M'head* —6H **3**
Forlease Dri. *M'head* —6H **3**
Forlease Rd. *M'head* —6H **3**
Formby Clo. *Slou* —3D **20**
Forsythia Gdns. *Slou* —2K **13**
Foster Av. *Wind* —2H **15**
Fosters Path. *Slou* —3J **5**
Fotherby Ct. *M'head* —6H **3**
Fotheringay Gdns. *Slou* —6K **5**
Fountain Gdns. *Wind* —2C **16**
Foxborough Clo. *Slou* —4B **20**
Foxborough Ct. *M'head* —1F **9**
Foxherne. *Slou* —1H **13**
Fox Rd. *Slou* —3J **13**
Frances Av. *M'head* —3K **3**
Frances Rd. *Wind* —2B **16**
Francis Way. *Slou* —6G **5**
Franklin Av. *Slou* —3A **6**
Franklyn Cres. *Wind* —2G **15**
Frascati Way. *M'head* —5G **3**
Freestone Yd. Coln —6E **20**
(off Park St.)

Frenchum Gdns. *Slou* —7H **5**
Friary Island. —5H 17
Friary Island. *Wray* —5H **17**
Friary Rd. *Wray* —6H **17**
(in two parts)
Friary, The. *Old Win* —5H **17**
Frithe, The. *Slou* —5G **7**
Frogmore. —1E 16
Frogmore Border. *Wind* —2D **16**
Frogmore Clo. *Slou* —1K **11**
Frogmore Dri. *Wind* —7D **12**
Frogmore House. —2E 16
Frymley Vw. *Wind* —7G **11**
Fullbrook Clo. *M'head* —4H **3**
Furness. *Wind* —1F **15**
Furness Pl. *Wind* —1F **15**
Furness Row. *Wind* —1F **15**
Furness Sq. *Wind* —1F **15**
Furness Wlk. Wind —1F **15**
(off Furnace Sq.)
Furness Way. *Wind* —1F **15**
Furnival Av. *Slou* —4A **6**
Furrow Way. *M'head* —1B **8**
Furzedown Clo. *Egh* —5E **18**
Furzen Clo. *Slou* —2K **5**
Furze Platt. —2E 2
Furze Platt Rd. *M'head* —2B **2**
Furze Rd. *M'head* —3E **2**
Fuzzens Wlk. *Wind* —1H **15**

Gables Clo. *Dat* —5F **13**
Gables Clo. *M'head* —4J **3**
Gage Clo. *M'head* —1F **9**
Gainsborough Dri. *M'head*
—2E **8**
Galahad Clo. *Slou* —1K **11**
Galleons La. *Wex* —3H **7**
Gallop, The. *Wind* —6B **16**
Galloway Chase. *Slou* —6F **7**
Gallys Rd. *Wind* —1G **15**
Galvin Rd. *Slou* —7B **6**
Garden Clo. *M'head* —7B **2**
Garden M. *Slou* —7E **6**
Gardner Ho. *M'head* —3F **3**
Gardner Rd. *M'head* —2E **2**
Garfield Pl. *Wind* —1C **16**
Garnet Clo. *Slou* —1K **11**
Garrard Rd. *Slou* —3H **5**
Garson La. *Wray* —6J **17**
Garthlands. *M'head* —2E **2**
Gascon's Gro. *Slou* —3K **5**
Gas La. *M'head* —2H **9**
Gatehouse Clo. *Wind* —3A **16**
Gatewick Clo. *Slou* —7D **6**
Gatward Av. *M'head* —2C **8**
Gaveston Rd. *Slou* —2J **5**
Gays La. *M'head* —5J **9**
George Green. —5K 7
George Grn. Dri. *G Grn* —5K **7**
George Grn. Rd. *G Grn* —5J **7**
Gervaise Clo. *Slou* —7J **5**
Gibson Ct. *Dat* —4A **20**
Gilliat Rd. *Slou* —6D **6**
Gilman Cres. *Wind* —2G **15**
Gilmore Clo. *Slou* —1H **13**
Gladstone Ind. Est. M'head
(off Denmark St.) —4F **3**
Gladstone Way. *Slou* —7K **5**
Glanmor Rd. *Slou* —6G **7**
Glanty. —3H 19
Glanty, The. *Egh* —3H **19**
Glasgow Rd. *Slou* —5K **5**
Glebe Clo. *Tap* —7C **4**
Glebe Rd. *Egh* —4J **19**
Glebe Rd. *M'head* —7J **3**
Glebe Rd. *Old Win* —4G **17**
Glenavon Gdns. *Slou* —3H **13**
Glen, The. *Slou* —3H **13**
Glentworth Pl. *Slou* —7B **6**

Gloucester Av. *Slou* —4B **6**
Gloucester Dri. *Stai* —2J **19**
Gloucester Pl. *Wind* —1C **16**
Gloucester Rd. *M'head* —2F **3**
Godolphin Rd. *Slou* —6C **6**
Golden Ball La. *M'head* —1A **2**
Goldsworthy Way. *Slou* —5F **5**
Goodman Pk. *Slou* —7H **7**
Goodwin Rd. *Slou* —2J **5**
Goose Grn. *Farn R* —1A **6**
Gordon Rd. *M'head* —5E **2**
Gordon Rd. *Stai* —3J **19**
Gordon Rd. *Wind* —1J **15**
Gore Rd. *Burn* —2E **4**
Gore, The. *Burn* —2D **4**
Goring Rd. *Stai* —4K **19**
Gorse Meade. *Slou* —7K **5**
Goslar Way. *Wind* —1A **16**
Gosling Rd. *Slou* —2K **13**
Goswell Hill. *Wind* —7C **12**
Goswell Rd. *Wind* —7C **12**
Gowings Grn. *Slou* —1H **11**
Grace Ct. *Slou* —7B **6**
Grafton Clo. *G Grn* —5K **7**
Grafton Clo. *M'head* —2F **3**
Graham Clo. *M'head* —7D **2**
Grampian Way. *Slou* —4B **20**
Grange Clo. *Wray* —5K **17**
Grange Ct. *Egh* —4F **19**
Grange Lodge. *Wind* —6G **11**
Grange Rd. *Egh* —4F **19**
(in two parts)
Grange, The. Burn —2F **5**
(off Green La.)
Grange, The. *Old Win* —4G **17**
Grangewood. *Wex* —4H **7**
Grant Av. *Slou* —5D **6**
Granville Av. *Slou* —4C **6**
Grasholm Way. *Slou* —3D **20**
Grasmere Av. *Slou* —6F **7**
Grasmere Clo. *Egh* —6H **19**
Grasmere Pde. *Slou* —6G **7**
Grassy La. *M'head* —5F **3**
Gratton Dri. *Wind* —3H **15**
Grays All. *M'head* —5A **2**
Grays Pk. Rd. *Stoke P* —1F **7**
Grays Pl. *Slou* —7E **6**
Gray's Rd. *Slou* —7E **6**
Gt. Hill Cres. *M'head* —7C **3**
Greenacre. *Wind* —1H **15**
Greenacre Ct. *Eng G* —5C **18**
Green Bus. Cen., The. *Stai*
—3J **19**
Green Clo. *M'head* —3G **3**
Green Clo. *Tap* —5D **4**
Greendale M. *Slou* —6F **7**
Green Dri. *Slou* —3K **13**
(in two parts)
Green Dri. *Tap* —1B **4**
Greenfern Av. *Slou* —5F **5**
Greenfields. *M'head* —6H **3**
Green La. *Burn* —2F **5**
Green La. *Dat* —7G **13**
Green La. *Egh* —7J **19**
(in two parts)
Green La. *Fif* —7K **9**
Green La. *M'head* —6H **3**
Green La. *Thorpe* —3H **19**
(in two parts)
Green La. *Wind* —1K **15**
Green La. Ct. *Burn* —2F **5**
Green Leys. *M'head* —2G **3**
Greenock Rd. *Slou* —5K **5**
Green Pk. *Stai* —2K **19**
Greenside. *Slou* —4K **5**
Green, The. *Burn* —4E **4**
Green, The. *Dat* —6G **13**
Green, The. *Eng G* —3C **18**
Green, The. *Slou* —1C **12**

Green, The. *Wray* —5K **17**
Greenway. *Burn* —2E **4**
Greenways. *Egh* —4E **18**
Greenways Dri. *M'head* —4B **2**
Greenway, The. *Slou* —7G **5**
Gregory Dri. *Old Win* —5G **17**
Grenfell. *M'head* —4J **3**
Grenfell Av. *M'head* —6G **3**
Grenfell Pl. *M'head* —6G **3**
Grenfell Rd. *M'head* —5F **3**
Grenville Clo. *Burn* —1E **4**
Gresham Rd. *Slou* —5K **5**
Greystoke Rd. *Slou* —4H **5**
Griffin Clo. *M'head* —7F **3**
Griffin Clo. *Slou* —1B **12**
Gringer Hill. *M'head* —3E **2**
Grosvenor Ct. *Slou* —5D **6**
Grosvenor Dri. *M'head* —4J **3**
Grove Clo. *Old Win* —6G **17**
Grove Clo. *Slou* —2F **13**
Grove Ct. *Egh* —4G **19**
Grove Pde. *Slou* —1F **13**
Grove Rd. *Burn* —2G **5**
Grove Rd. *M'head* —5G **3**
Grove Rd. *Wind* —1B **16**
Grove, The. *Egh* —4G **19**
Grove, The. *Slou* —1F **13**
Guards Club Rd. *M'head* —5K **3**
Guards Rd. *Wind* —1F **15**
Guards Wlk. *Wind* —1F **15**
Gullet Path. *M'head* —7E **2**
Gwendale. *M'head* —3D **2**
Gwent Clo. *M'head* —1C **8**
Gwynne Clo. *Wind* —7H **11**

Haddon Rd. *M'head* —7D **2**
Hadlow Ct. *Slou* —7B **6**
Hag Hill La. *Tap* —5D **4**
Hag Hill Ri. *Tap* —5D **4**
Haig Dri. *Slou* —1A **12**
Halifax Clo. *M'head* —4B **2**
Halifax Rd. *M'head* —4B **2**
Halifax Way. *M'head* —4B **2**
Halkingcroft. *Slou* —1H **13**
Hall Ct. *Dat* —6G **13**
Hall Mdw. *Burn* —1F **5**
Hambleden Wlk. *M'head* —1F **3**
Hamilton Gdns. *Burn* —2E **4**
Hamilton Pk. *M'head* —6B **2**
Hamilton Rd. *Slou* —5K **5**
Ham Island. —3J **17**
Ham La. *Eng G* —3B **18**
Ham La. *Old Win* —4H **17**
(in two parts)
Hampden Clo. *Stoke P* —2F **7**
Hampden Rd. *M'head* —4C **2**
Hampden Rd. *Slou* —2A **20**
Hampshire Av. *Slou* —4B **6**
Hanbury Clo. *Burn* —4D **4**
Hanley Clo. *Wind* —7G **11**
Hanover Clo. *Eng G* —5B **18**
Hanover Clo. *Slou* —2F **13**
Hanover Clo. *Wind* —7J **11**
Hanover Mead. *Bray* —2K **9**
Hanover Way. *Wind* —1J **15**
Harborough Clo. *Slou* —7C **6**
Harcourt Clo. *Dor R* —2C **10**
Harcourt Clo. *Egh* —5J **19**
Harcourt M. *Wray* —5K **17**
Harcourt Rd. *Dor R* —2C **10**
Harcourt Rd. *Wind* —7H **11**
Hardell Clo. *Egh* —4G **19**
Hardwick Clo. *M'head* —4A **2**
Hardy Clo. *Slou* —7K **5**
Harefield Rd. *M'head* —5B **2**
Hare Shoots. *M'head* —7F **3**
Harewood Pl. *Slou* —2F **13**
Hargrave Rd. *M'head* —4E **2**
Harkness Rd. *Burn* —4E **4**

Harrington Clo. *Wind* —3J **15**
Harris Gdns. *Slou* —1B **12**
Harrison Way. *Slou* —7G **5**
Harrogate Ct. *Slou* —4B **20**
Harrow Clo. *M'head* —3F **3**
Harrow La. *M'head* —3E **2**
Harrow Mkt. *Slou* —2B **20**
Harrow Rd. *Slou* —2A **20**
Hartland Clo. *Slou* —7C **6**
Hartley Copse. *Old Win* —5F **17**
Harvest Hill Rd. *M'head* —1F **9**
Harvest Rd. *Eng G* —4D **18**
Harvey Rd. *Slou* —2C **20**
Harwich Rd. *Slou* —5K **5**
Harwood Gdns. *Old Win* —6G **17**
Haslemere Rd. *Wind* —7K **11**
Hasting Clo. *Bray* —3K **9**
Hastings Mdw. *Stoke P* —1E **6**
Hatchgate Gdns. *Burn* —2G **5**
Hatch La. *Wind* —2K **15**
Hatch, The. *Wind* —6F **11**
Hatfield Clo. *M'head* —6D **2**
Hatfield Rd. *Slou* —1F **13**
Hatton Av. *Slou* —3C **6**
Hatton Ct. *Wind* —1B **16**
Havelock Cres. *M'head* —5C **2**
Havelock Rd. *M'head* —5C **2**
Hawker Ct. *L'ly* —2B **20**
Hawkshill Rd. *Slou* —2K **5**
Hawthorne Av. *Wink* —7E **14**
Hawthorne Cres. *Slou* —5D **6**
Hawthorne Dri. *Wink* —7E **14**
Hawthorne Rd. *Stai* —4J **19**
Hawthorne Way. *Wink* —7E **14**
Hawthorn Gdns. *M'head* —7F **3**
Hawtrey Clo. *Slou* —1G **13**
Hawtrey Rd. *Wind* —1B **16**
Haymill Rd. *Slou* —3G **5**
Haynes Clo. *Slou* —4A **20**
Hayse Hill. *Wind* —7G **11**
Haywards Mead. *Eton W* —4J **11**
Hazel Clo. *Eng G* —5B **18**
Hazelhurst Rd. *Burn* —1F **5**
Hazell Clo. *M'head* —4G **3**
Hazlemere Rd. *Slou* —7G **7**
Headington Clo. *M'head* —5B **2**
Headington Rd. *M'head* —4B **2**
Hearne Dri. *Holyp* —4H **9**
Heathcote. *M'head* —3J **9**
Heathlands Dri. *M'head* —6B **2**
Hedingham M. *M'head* —5E **2**
Helena Rd. *Wind* —1C **16**
Helston La. *Wind* —7A **12**
Helvellyn Clo. *Egh* —6H **19**
Hemming Way. *Slou* —2A **6**
Hempson Av. *Slou* —2H **13**
Hemsdale. *M'head* —3C **2**
Hemwood Rd. *Wind* —2G **15**
Hencroft St. N. *Slou* —1E **12**
Hencroft St. S. *Slou* —2E **12**
Hendons Way. *Holyp* —4J **9**
Henley Rd. *M'head* —5A **2**
Henley Rd. *Slou* —5H **5**
Henry Rd. *Slou* —1C **12**
Hermitage Clo. *Slou* —2H **13**
Hermitage La. *Wind* —2K **15**
Herndon Clo. *Egh* —3G **19**
Heron Dri. *Slou* —3C **20**
Heronfield. *Eng G* —5C **18**
Herschel Pk. Dri. *Slou* —1E **12**
Herschel St. *Slou* —1E **12**
Hetherington Clo. *Slou* —2J **5**
Hever Clo. *M'head* —6D **2**
Heynes Grn. *M'head* —2C **8**
Heywood Av. *M'head* —4B **8**
Heywood Ct. *M'head* —4B **8**
Heywood Ct. Clo. *M'head* —3B **8**
Heywood Gdns. *M'head* —3B **8**
Hibbert Rd. *M'head* —2H **9**
Hibbert's All. *Wind* —7C **12**

Highfield La. *M'head* —1B **8**
Highfield Rd. *Eng G* —5C **18**
Highfield Rd. *M'head* —4C **2**
Highfield Rd. *Wind* —2J **15**
Highgrove Pk. *M'head* —4F **3**
High St. *Bray* —1K **9**
High St. *Burn* —2F **5**
High St. *Chalv* —2B **12**
High St. *Coln* —6D **20**
High St. *Dat* —7G **13**
High St. *Egh* —4F **19**
High St. *Eton* —5C **12**
High St. *M'head* —5G **3**
(in two parts)
High St. *Slou* —1E **12**
(SL1)
High St. *Slou* —4A **20**
(SL3)
High St. *Tap* —3B **4**
High St. *Wind* —7C **12**
High St. *Wray* —5K **17**
High St. W. *Slou* —1D **12**
High Town Rd. *M'head* —6F **3**
(in two parts)
Highway. —6B **2**
Highway Av. *M'head* —5B **2**
Highway Rd. *M'head* —6C **2**
Hillary Rd. *Slou* —1K **13**
Hillersdon. *Slou* —4G **7**
Hill Farm Rd. *Tap* —1B **4**
Hillmead Ct. *Tap* —4C **4**
Hill Ri. *Slou* —5B **20**
Hillside. *M'head* —7E **2**
Hillside. *Slou* —1D **12**
Hillview Rd. *Wray* —5J **17**
Hilperton Rd. *Slou* —1D **12**
Hindhay La. *M'head* —1C **2**
Hinksey Clo. *Slou* —2C **20**
Hinton Rd. *Slou* —6H **5**
Hitcham La. *Tap & Slou* —2B **4**
Hitcham Rd. *Tap & Slou* —5C **4**
Hobbis Dri. *M'head* —6B **2**
Hogarth Clo. *Slou* —6H **5**
Hogfair La. *Burn* —2F **5**
Holbrook Mdw. *Egh* —5J **19**
Holly Clo. *Eng G* —5B **18**
Hollycombe. *Eng G* —3C **18**
Holly Cres. *Wind* —1G **15**
Holly Dri. *M'head* —4G **3**
Holly Dri. *Old Win* —5D **16**
Holmanleaze. *M'head* —4H **3**
Holmedale. *Slou* —6H **7**
Holmlea Rd. *Dat* —7J **13**
Holmlea Wlk. *Dat* —7H **13**
Holmwood Clo. *M'head* —7B **2**
Holyport. —5J **9**
Holyport Rd. *M'head* —5H **9**
Holyport St. *Holyp* —5H **9**
Home Mdw. *Farn R* —1B **6**
Homers Rd. *Wind* —7G **11**
Homestead Rd. *M'head* —1E **8**
Homewood. *G Grn* —5J **7**
Hornbeam Gdns. *Slou* —2F **13**
Horseguards Dri. *M'head* —5J **3**
Horsemoor Clo. *Slou* —3B **20**
Horton Clo. *M'head* —3K **3**
Horton Gdns. *Hort* —2K **17**
Horton Grange. *M'head* —3K **3**
Horton Rd. *Dat* —6G **13**
Horton Rd. *Hort* —7B **20**
Household Cavalry Mus.
—2B **16**
Howard Av. *Slou* —4C **6**
Howarth Rd. *M'head* —6H **3**
Hoylake Clo. *Slou* —1H **11**
Hubert Rd. *Slou* —2J **13**
Hughenden Clo. *M'head* —6D **2**
Hughenden Rd. *Slou* —5C **6**
Hull Clo. *Slou* —1B **12**
Humber Way. *Slou* —3B **20**

Hummer Rd. *Egh* —3G **19**
Hungerford Av. *Slou* —4D **6**
Hungerford Dri. *M'head* —1F **3**
Hunstanton Clo. *Coln* —6D **20**
Huntercombe Clo. *Tap* —5E **4**
Huntercombe La. N. *Slou & Tap*
—4F **5**
Huntercombe La. S. *Tap* —7E **4**
Huntercombe Spur. *Slou* —7F **5**
Hunter Ct. *Burn* —4F **5**
Hunters M. *Wind* —7B **12**
Hunters Way. *Slou* —7H **5**
Huntingfield Way. *Egh* —6K **19**
Hunts La. *Tap* —1B **4**
Hurricane Way. *Slou* —4C **20**
Hurstfield Dri. *Tap* —5E **4**
Hurst Rd. *Slou* —4G **5**
Hurworth Rd. *Slou* —2H **13**
Hyde, The. *M'head* —4G **3**
Hylle Clo. *Wind* —7H **11**
Hythe End. —1H **19**
Hythe End Rd. *Wray* —1F **19**
Hythe Fld. Av. *Egh* —5K **19**
Hythe Pk. Rd. *Egh* —4J **19**
Hythe Rd. *Stai* —4K **19**

Ilchester Clo. *M'head* —7D **2**
Ilex Clo. *Eng G* —6B **18**
Illingworth. *Wind* —2H **15**
Imperial Ct. *Wind* —2K **15**
Imperial Rd. *Wind* —2K **15**
India Rd. *Slou* —1G **13**
Inkerman Rd. *Eton W* —3J **11**
Institute Rd. *Tap* —5C **4**
In-the-Ray. *M'head* —4J **3**
Iona Cres. *Slou* —5H **5**
Ipswich Rd. *Slou* —5J **5**
Island Clo. *Stai* —3K **19**
Island, The. *Wray* —2G **19**
Islet Pk. *M'head* —1K **3**
Islet Pk. Dri. *M'head* —1K **3**
Islet Rd. *M'head* —1J **3**
Ismay Ct. *Slou* —5D **6**
Ives Rd. *Slou* —2A **20**
Ivy Clo. *Holyp* —6H **9**
Ivy Cres. *Slou* —6J **5**

Jacob Clo. *Wind* —7H **11**
Jakes Ho. *M'head* —4H **3**
James St. *Wind* —7C **12**
Jefferson Clo. *Slou* —3B **20**
Jellicoe Clo. *Slou* —1A **12**
Jennery La. *Burn* —2F **5**
Jesus Hospital. *Bray* —2K **9**
John F. Kennedy Memorial.
—1D **18**
John Taylor Ct. *Slou* —7B **6**
Jourdelays Pas. *Wind* —5C **12**
Journeys End. *Stoke P* —4D **6**
Jubilee Arch. *Wind* —7C **12**
Juniper Ct. *Slou* —1F **3**
Juniper Dri. *M'head* —4J **3**
Jutland Pl. *Egh* —4J **19**

Kaywood Clo. *Slou* —2J **13**
Keates La. *Eton C* —5B **12**
Keble Rd. *M'head* —4E **2**
Keel Dri. *Slou* —1A **12**
Keeler Clo. *Wind* —2H **15**
Keepers Farm Clo. *Wind* —1H **15**
(in two parts)
Kelpatrick Rd. *Slou* —5G **5**
Kelsey Clo. *M'head* —2E **8**
Kemp Clo. *Slou* —3D **20**
Kendal Clo. *Slou* —6F **7**
Kendal Dri. *Slou* —6F **7**
Kendrick Rd. *Slou* —2G **13**

Manor Leaze. *Egh* —4H **19**
Manor Park. —4C 6
Manor Rd. *M'head* —1F **9**
Manor Rd. *Wind* —1H **15**
Manor Way. *Egh* —5F **19**
Manor Way. *Holyp* —5H **9**
Mansel Clo. *Slou* —4G **7**
Mansell Clo. *Wind* —7H **11**
Mansion Cvn. Site. *Iver* —1D **20**
Mansion La. *Iver* —1D **20**
Maple Clo. *M'head* —7D **2**
Maple Ct. *Eng G* —5B **18**
Maple Cres. —6G **7**
Mapledurham Wlk. *M'head*
—1F **3**
Maplin Pk. *Slou* —1C **20**
Marbeck Clo. *Wind* —7G **11**
Marcia Ct. *Slou* —7J **5**
Marescroft Rd. *Slou* —3H **5**
Marina Way. *Slou* —6G **5**
Marish Ct. *L'ly* —2B **20**
Marish Wharf. *Mid* —1K **13**
Market La. *Slou & Iver* —2D **20**
Market Pl. *Coln* —6D **20**
Market St. *M'head* —5G **3**
Market St. *Wind* —7C **12**
Marlborough Clo. *M'head* —6B **2**
Marlborough Rd. *M'head* —6B **2**
Marlborough Rd. *Slou* —3J **13**
Marlow Rd. *M'head* —5F **3**
(Maidenhead)
Marlow Rd. *M'head* —1A **2**
(Pinkeys Green)
Marshfield. *Dat* —7H **13**
Marsh La. *Tap & Wind* —7B **4**
Martin Clo. *Wind* —7F **11**
Martin Rd. *M'head* —4G **3**
Martin Rd. *Slou* —2D **12**
Martins Plain. *Stoke P* —2E **6**
Marunden Grn. *Slou* —2J **5**
Mary Drew Almshouses. *Egh*
—5D **18**
Mary Morgan Ct. *Slou* —4C **6**
Maryside. *Slou* —1K **13**
Mascoll Path. *Slou* —2J **5**
Masons Ct. *Cipp* —6H **5**
Masons Rd. *Slou* —6H **5**
Maybury Clo. *Slou* —5G **5**
Maypole Rd. *Tap* —4D **4**
Mead Av. *Slou* —1C **20**
Mead Clo. *Egh* —5H **19**
Mead Clo. *Slou* —1C **20**
Mead Ct. *Egh* —5J **19**
Meadfield Av. *Slou* —1B **20**
Meadfield Rd. *Slou* —2B **20**
Meadow Clo. *Old Win* —5G **17**
Meadow Ct. *Stai* —2K **19**
Meadow Gdns. *Stai* —4H **19**
Meadow La. *Eton* —5A **12**
Meadow Rd. *Slou* —2K **13**
Meadow Vw. La. *Holyp* —5F **9**
Meadow Way. *Dor R* —1C **10**
Meadow Way. *Fif* —7A **10**
Meadow Way. *Old Win* —5G **17**
Mead Wlk. *Slou* —1C **20**
Mead Way. *M'head* —5G **3**
Mead Way. *Slou* —4G **5**
Medallion Pl. *M'head* —5J **3**
Mede Clo. *Wray* —7J **17**
Mede Ct. *Stai* —2K **19**
Medlake Rd. *Egh* —5J **19**
Medlar Ct. *Slou* —7H **7**
Melbourne Av. *Slou* —5B **6**
Mellor Wlk. Wind —7C 12
(off Batchelors Acre)
Melton Ct. M'head —6G 3
(off Cullerns Pas.)
Mendip Clo. *Slou* —4B **20**
Mercian Way. *Slou* —7G **5**
Mercia Rd. *M'head* —1C **8**

Mere Rd. *Slou* —2E **12**
Merlin Clo. *Slou* —5C **20**
Merlin Ct. *M'head* —4C **2**
Merton Clo. *M'head* —2D **8**
Merton Rd. *Slou* —2F **13**
Merwin Way. *Wind* —1G **15**
Mews, The. *Slou* —2D **12**
Michael Clo. *M'head* —7D **2**
Midcroft. *Slou* —3A **6**
Middle Green. —7K 7
Middle Grn. *G Grn & Slou*
—7K **7**
Middlegreen Rd. *Slou* —1J **13**
Middlegreen Trad. Est. *Slou*
—1J **13**
Middle Hill. *Egh & Eng G*
—3C **18**
Middle Wlk. *Burn* —2E **4**
Mildenhall Rd. *Slou* —5D **6**
Milford Ct. *Slou* —1F **13**
Mill Clo. *M'head* —7E **6**
Millers Ct. *Egh* —5K **19**
Miller's La. *Old Win* —5E **16**
Mill La. *Tap* —5K **3**
Mill La. *Wind* —6K **11**
Mill Pl. *Dat* —1J **17**
Mill Pl. Cvn. Pk. *Dat* —1J **17**
Mills Spur. *Old Win* —6G **17**
Millstream La. *Slou* —7H **5**
Mill St. *Coln* —6E **20**
Mill St. *Slou* —7E **6**
Milner Rd. *Burn* —4D **4**
Milton Rd. *Egh* —4F **19**
Milton Rd. *Slou* —3C **6**
Milverton Clo. *M'head* —2C **8**
Mina Av. *Slou* —1J **13**
Minniecroft Rd. *Burn* —2E **4**
Minster Way. *Slou* —1A **20**
Minton Ri. *Tap* —5E **4**
Mirador Cres. *Slou* —6G **7**
Misbourne Clo. *L'ly* —3B **20**
Missenden Gdns. *Burn* —5E **4**
Mitchell Clo. *Slou* —1K **11**
Moat Dri. *Slou* —4H **7**
Moffy Hill. *M'head* —2F **3**
Molyns M. *Slou* —7H **5**
Moneyrow Green. —6H 9
Moneyrow Grn. *Holyp* —7G **9**
Monkey Island La. *Bray* —2A **10**
(in three parts)
Monksfield Way. *Slou* —3K **5**
Monks Rd. *Wind* —1G **15**
Mons Wlk. *Egh* —4J **19**
Montague Rd. *Slou* —6E **6**
Montagu Rd. *Dat* —7G **13**
Montem La. *Slou* —7C **6**
Montgomery Pl. *Slou* —5H **7**
Montpelier Ct. *Wind* —1B **16**
Montrose Av. *Dat* —6H **13**
Montrose Av. *Slou* —5A **6**
Montrose Dri. *M'head* —6B **2**
Montrose Way. *Dat* —7J **13**
Monycrower Dri. *M'head* —5F **3**
Moorbridge Rd. *M'head* —5H **3**
Moore Clo. *Slou* —1A **12**
Moore Gro. Cres. *Egh* —5F **19**
Moor End. *M'head* —4K **9**
Moores La. *Eton W* —3J **11**
Moorfield Ter. *M'head* —4H **3**
Moor Furlong. *Slou* —7H **5**
Moorlands Dri. *M'head* —4A **2**
Moor La. *M'head* —3G **3**
Moor La. *Stai* —1K **19**
Moorside Clo. *M'head* —3G **3**
Moorstown Ct. *Slou* —1D **12**
Moor, The. —1K 19
Moray Dri. *Slou* —5F **7**
Moreau Wlk. *G Grn* —5K **7**
Moreland Av. *Coln* —6D **20**
Moreland Clo. *Coln* —6D **20**

Morello Dri. *Slou* —1A **20**
Moreton Way. *Slou* —7G **5**
Morley Clo. *Slou* —1A **20**
Morrice Clo. *Slou* —3A **20**
Mortimer Rd. *Slou* —2J **13**
Mossy Va. *M'head* —3E **2**
Moundsfield Way. *Slou* —1H **11**
Mountbatten Clo. *Slou* —2F **13**
Mountbatten Sq. *Wind* —7B **12**
Mt. Lee. *Egh* —4F **19**
Mounts Hill. *Wink* —7F **15**
Mowbray Cres. *Egh* —4G **19**
Muddy La. *Slou* —4D **6**
Mulberry Av. *Wind* —2E **16**
Mulberry Dri. *Slou* —4K **13**
Mulberry Wlk. *M'head* —4D **2**
Mullens Rd. *Egh* —4H **19**
Mundesley Spur. *Slou* —5D **6**
Mundy Ct. *Eton* —5C **12**
Murrin Rd. *M'head* —4D **2**
Mus. of Eton Life,. —5C **12**
Myrke. —3E 12
Myrke, The. *Dat* —3E **12**
Myrtle Cres. *Slou* —6E **6**

Napier Rd. *M'head* —6C **2**
Nash Rd. *Slou* —3A **20**
Needham Clo. *Wind* —7H **11**
Nelson Clo. *Slou* —3J **13**
Nelson Rd. *Wind* —2J **15**
Neptune Way. *Slou* —1H **11**
Neville Ct. *Burn* —2F **5**
Newbeach Ho. *Slou* —2A **6**
Newberry Cres. *Wind* —1F **15**
Newbery Way. *Slou* —1C **12**
Newbury Dri. *M'head* —6J **3**
Newchurch Rd. *Slou* —4J **5**
New Cut. *Slou* —3D **4**
Newhaven Spur. *Slou* —3A **6**
Newlands Dri. *M'head* —5B **2**
Newnham Clo. *Slou* —7E **6**
Newport Rd. *Slou* —3H **5**
New Rd. *Dat* —7J **13**
New Rd. *M'head* —5J **9**
New Rd. *Slou* —2B **20**
New Rd. *Stai* —4J **19**
New Sq. *Slou* —1D **12**
Newton Clo. *Slou* —1A **20**
Newton Ct. *Old Win* —5F **17**
Newton La. *Old Win* —5G **17**
Newtonside Orchard. *Old Win*
—5F **17**
New Wickham La. *Egh* —6G **19**
New Windsor. —1C 16
Nicholas Gdns. *Slou* —7H **5**
Nicholls. *Wind* —2F **15**
Nicholls Wlk. *Wind* —2F **15**
Nicholson M. Egh —4G 19
(off Nicholson Wlk.)
Nicholsons La. *M'head* —5G **3**
Nicholsons Wlk. *M'head* —5G **3**
Nicholson Wlk. *Egh* —4G **19**
Nightingale La. *M'head* —1E **2**
Nightingale Shott. *Egh* —5F **19**
Nightingale Wlk. *Wind* —2B **16**
Nine Acres. *Slou* —7J **5**
Nixey Clo. *Slou* —1F **13**
Nobles Way. *Egh* —5E **18**
Norden Clo. *M'head* —1D **8**
Norden Meadows. *M'head*
—7D **2**
Norden Rd. *M'head* —7D **2**
Norelands Dri. *Burn* —1F **5**
Norfolk Av. *Slou* —4B **6**
Norfolk Pk. Cotts. *M'head* —4G **3**
Norfolk Rd. *M'head* —4F **3**
Normandy Wlk. *Egh* —4J **19**
Normans, The. *Slou* —5G **7**
Norreys Dri. *M'head* —1D **8**

Northampton Av. *Slou* —5B **6**
Northborough Rd. *Slou* —3K **5**
N. Burnham Clo. *Burn* —1E **4**
North Clo. *Wind* —7J **11**
Northcroft. *Slou* —3A **6**
Northcroft Clo. *Eng G* —4B **18**
Northcroft Gdns. *Eng G* —4B **18**
Northcroft Rd. *Eng G* —4B **18**
Northcroft Vs. *Eng G* —4B **18**
North Dean. *M'head* —3G **3**
Northern Rd. *Slou* —3C **6**
Northfield. *Eton W* —3J **11**
Northfield Rd. *M'head* —3G **3**
North Grn. *M'head* —3G **3**
North Grn. *Slou* —6D **6**
Northmead Rd. *Slou* —4J **5**
N. Park Rd. *Iver* —2E **20**
North Rd. *M'head* —5F **3**
N. Star La. *M'head* —6D **2**
North St. *Egh* —4F **19**
North St. *Wink* —7E **14**
North Ter. *Wind* —6C **12**
North Town. —3G 3
N. Town Clo. *M'head* —3G **3**
N. Town Mead. *M'head* —3G **3**
N. Town Moor. *M'head* —2G **3**
N. Town Rd. *M'head* —3G **3**
Northumbria Rd. *M'head* —1C **8**
Norway Dri. *Slou* —4G **7**
Notley End. *Eng G* —6C **18**
Nursery La. *Slou* —7J **7**
Nursery Rd. *Tap* —5E **4**
Nursery Way. *Wray* —5J **17**

Oak Av. *Egh* —6J **19**
Oaken Gro. *M'head* —4C **2**
Oakfield Av. *Slou* —7A **6**
Oakhurst. *M'head* —1J **3**
Oak La. *Eng G* —2C **18**
Oak La. *Wind* —7K **11**
Oakley Ct. *Water O* —5D **10**
Oakley Cres. *Slou* —6D **6**
Oakley Green. —1E 14
Oakley Grn. Rd. *Oak G* —1B **14**
Oakley M. *Wind* —1H **15**
Oak Stubbs La. *Dor R* —1C **10**
Oak Tree Dri. *Eng G* —4C **18**
Oast Ho. Clo. *Wray* —6K **17**
Oatlands Dri. *Slou* —5C **6**
Oban Ct. *Chalv* —1C **12**
Observatory Shop. Cen., The.
Slou —1F **13**
Ockwells Rd. *M'head* —2C **8**
Odencroft Rd. *Slou* —2K **5**
Oldacres. *M'head* —5J **3**
Old Ct. Clo. *M'head* —2C **8**
Old Crown Cen. *Slou* —1E **12**
Oldershaw M. *M'head* —4C **2**
Old Ferry Dri. *Wray* —5H **17**
Oldfield Rd. *M'head* —6J **3**
Old Fives Ct. *Burn* —2E **4**
Old Forge Clo. *M'head* —2H **9**
Old Ho. Clo. *Wex* —4J **7**
Old Marsh La. *Tap* —1C **10**
Old Mill La. *Bray* —1K **9**
Old School Ct. *Wray* —6K **17**
Oldway La. *Slou* —7G **5**
(Abbotts Way)
Oldway La. *Slou* —1G **11**
(Mercian Way)
Old Windsor. —4F 17
Old Windsor Lock. *Old Win*
—4H **17**
Omega Way. *Egh* —7J **19**
Opal Ct. *Wex* —3H **7**
Opendale Rd. *Burn* —4E **4**
Orchard Av. *Slou* —4G **5**
Orchard Av. *Wind* —7K **11**

Stoney Meade. *Slou* —7A **6**
Stornaway Rd. *Slou* —3D **20**
Stour Clo. *Slou* —2A **12**
Stovell Rd. *Wind* —6A **12**
Stowe Rd. *Slou* —6H **5**
Straight Rd. *Old Win & Wind*
—4F **17**
Stranraer Gdns. *Slou* —7D **6**
Stratfield Ct. *M'head* —4J **3**
Stratfield Rd. *Slou* —1F **13**
Stratford Clo. *Slou* —3G **5**
Stratford Gdns. *M'head* —1D **8**
Streamside. *Slou* —7J **5**
Strode's College La. *Egh*
(off High St.) —4F **19**
Strode St. *Egh* —3G **19**
Stroma Ct. *Cipp* —6G **5**
Stroud Clo. *Wind* —2G **15**
Stroude. —7F **19**
Stroude Rd. *Egh & Vir W*
—5G **19**
Stroud Farm Rd. *Holyp* —5J **9**
Stuart Clo. *Wind* —1J **15**
Stuart Way. *Wind* —1H **15**
Stud Green. —6F **9**
Sturt Grn. *M'head* —5F **9**
Suffolk Clo. *Slou* —5H **5**
Suffolk Rd. *M'head* —1E **8**
Sumburgh Way. *Slou* —4D **6**
Summerlea. *Slou* —7A **6**
Summerleaze Rd. *M'head*
—3H **3**
Summers Rd. *Burn* —2F **5**
Sunbury Ct. *Eton* —5C **12**
Sunbury Rd. *Eton* —5C **12**
Sun Clo. *Eton* —5C **12**
Sunderland Rd. *M'head* —4C **2**
Sun La. *M'head* —5F **3**
Sunnymeads. —3K **17**
Sun Pas. *Wind* —7C **12**
Surly Hall Wlk. *Wind* —7J **11**
Surrey Av. *Slou* —4B **6**
Sussex Clo. *Slou* —1G **13**
Sussex Keep. *Slou* —1G **13**
Sussex Pl. *Slou* —1F **13**
(in two parts)
Sutton. —4D **20**
Sutton Av. *Slou* —1H **13**
Sutton Clo. *M'head* —6D **2**
Sutton La. *Slou* —5C **20**
Sutton Pl. *Slou* —5C **20**
Swabey Rd. *Slou* —3B **20**
Swallowfield. *Eng G* —5B **18**
Swanbrook Ct. *M'head* —5H **3**
Swann Ct. *Chalv* —2D **12**
Swan Ter. *Wind* —6A **12**
Sweeps La. *Egh* —4F **19**
Switchback Clo. *M'head* —2E **2**
Switchback Rd. N. *M'head*
—1F **3**
Switchback Rd. S. *M'head*
—2E **2**
Switchback, The. *M'head*
—2E **2**
Sycamore Clo. *M'head* —1D **8**
(in two parts)
Sycamore Ct. *Wind* —2B **16**
Sycamore Wlk. *Eng G* —5B **18**
Sycamore Wlk. *G Grn* —5K **7**
Sydney Gro. *Slou* —5B **6**
Sykes Rd. *Slou* —5A **6**
Sylvester Rd. *M'head* —2F **3**

Talbot Av. *Slou* —1A **20**
Talbot Pl. *Dat* —7H **13**
Talbots Dri. *M'head* —6C **2**
Tamarind Ct. *Egh* —4F **19**
Tamarisk Way. *Slou* —1K **11**
Tamar Way. *Slou* —4C **20**

Tangier Ct. *Eton* —5C **12**
Tangier La. *Eton* —5C **12**
Taplow. —3B **4**
Taplow Comn. Rd. *Burn* —1D **4**
Taplow Rd. *Tap* —5D **4**
Tarbay La. *Oak G* —2E **14**
Tatchbrook Clo. *M'head* —4H **3**
Tavistock Clo. *M'head* —4B **2**
Taylor's Bushes Ride. *Wind*
—7F **15**
Taylors Ct. *M'head* —4C **2**
Tectonic Pl. *M'head* —4J **9**
Teesdale Rd. *Slou* —4J **5**
Telford Dri. *Slou* —1K **11**
Tempest Rd. *Egh* —5J **19**
Temple Rd. *Wind* —1B **16**
Ten Acre La. *Egh* —7J **19**
Tennyson Way. *Slou* —3H **5**
Terrace, The. *Bray* —2K **9**
Testwood Rd. *Wind* —7G **11**
Thames Av. *Wind* —6C **12**
Thames Cres. *M'head* —2J **3**
Thames Mead. *Wind* —7H **11**
Thames Rd. *Slou* —3B **20**
Thames Rd. *Wind* —6F **11**
Thames Side. *Wind* —6C **12**
Thames St. *Wind* —7C **12**
Thatchers Dri. *M'head* —7B **2**
Theatre Royal. —6C **12**
Thicket Gro. *M'head* —5A **2**
Third Cres. *Slou* —4B **6**
Thirkleby Clo. *Slou* —7B **6**
Thirlmere Av. *Slou* —4F **5**
Thirlmere Clo. *Egh* —6H **19**
Thompson Clo. *Slou* —3A **20**
Thorncroft. *Eng G* —6C **18**
Thorndike. *Slou* —4K **5**
Thorn Dri. *G Grn* —5K **7**
Thorpe By-Pass. *Egh* —7H **19**
Thorpe Lea. —5J **19**
Thorpe Lea Rd. *Egh* —5H **19**
Thorpe Rd. *Stai* —5K **19**
Thrift La. *M'head* —3D **8**
(in two parts)
Thurlby Way. *M'head* —2E **8**
Thurston Rd. *Slou* —5D **6**
Tilbury Wlk. *Slou* —2C **20**
Tilstone Av. *Eton W* —4H **11**
Tilstone Clo. *Eton W* —4H **11**
Timbers Wlk. *M'head* —7C **2**
Tinkers La. *Wind* —1G **15**
Tinsey Clo. *Egh* —4H **19**
Tintern Clo. *Slou* —2B **12**
Tiree Ho. *Slou* —3A **6**
Tite Hill. *Egh & Eng G* —4D **18**
Tithe Barn Dri. *M'head* —4A **10**
(in two parts)
Tithe Clo. *M'head* —4K **9**
Tithe Ct. *Slou* —3B **20**
Tittle Row. —6B **2**
Tockley Rd. *Burn* —2E **4**
Tollgate. *M'head* —6B **2**
Tomlin Rd. *Slou* —3H **5**
Topaz Clo. *Slou* —7A **6**
Torin Ct. *Egh* —4C **18**
Torquay Spur. *Slou* —2A **6**
Torridge Rd. *Slou* —5C **20**
Touchen End. —7E **8**
Touchen End Rd. *M'head* —7E **8**
Tourist Info. Cen. —5H **3**
(Maidenhead)
Tourist Info. Cen. —7C **12**
(Windsor)
Tower Ho. *Chalv* —1D **12**
Town & Crown Exhibition.
—7C **12**
Town Sq. *Slou* —1E **12**
Tozer Wlk. *Wind* —2G **15**
Travic Rd. *Slou* —2J **5**
Travis Ct. *Farn R* —2A **6**

Treesmill Dri. *M'head* —2C **8**
Trelawney Av. *Slou* —2J **13**
Trenchard Rd. *Holyp* —5J **9**
Trenches La. *Slou* —1B **20**
Trent Rd. *Slou* —5C **20**
Tressel, The. *M'head* —6E **2**
Trevose Ho. Slou —3A **6**
(off Franklin Av.)
Trinity Pl. *Wind* —1B **16**
Troutbeck Clo. *Slou* —6F **7**
Trumper Way. *Slou* —7J **5**
Truro Clo. *M'head* —5B **2**
Tubwell Rd. *Stoke P* —1G **7**
Tudor Ct. *M'head* —2K **3**
Tudor Gdns. *Slou* —5F **5**
Tudor La. *Old Win* —6H **17**
Tudor Way. *Wind* —7H **11**
Tuns La. *Slou* —2B **12**
Turner Rd. *Slou* —1H **13**
Turnoak Pk. *Wind* —3H **15**
Turpins Grn. *M'head* —7B **2**
Turton Way. *Slou* —2C **12**
Tweed Rd. *Slou* —5C **20**
Twinches La. *Slou* —7A **6**
Two Mile Dri. *Slou* —1H **11**
Twynham Rd. *M'head* —5C **2**
Tyle Pl. *Old Win* —4F **17**
Tyrell Gdns. *Wind* —2J **15**

Ullswater Clo. *Slou* —4F **5**
Umberville Way. *Slou* —2J **5**
Underhill Clo. *M'head* —6F **3**
Upcroft. *Wind* —2A **16**
Up. Bray Rd. *Bray* —3K **9**
Up. Lees Rd. *Slou* —2A **6**
Upton. —2F **13**
Upton Clo. *Slou* —2E **12**
Upton Ct. Rd. *Slou* —2F **13**
Upton Lea Pde. *Slou* —6G **7**
Upton Park. —2E **12**
Upton Pk. *Slou* —2D **12**
Upton Rd. *Slou* —2F **13**
Uxbridge Rd. *G Grn & Iver* —4K **7**
Uxbridge Rd. *Slou & Farn C*
—1F **13**

Vale Gro. *Slou* —2D **12**
Vale Rd. *Wind* —6J **11**
Vansittart Est. *Wind* —6B **12**
Vansittart Rd. *Wind* —7A **12**
Vantage Rd. *Slou* —7J **5**
Vanwall Bus. Pk. *M'head* —7D **2**
Vanwall Rd. *M'head* —1D **8**
Vaughan Gdns. *Eton W* —3J **11**
Vaughan Way. *Slou* —3H **5**
Vauxhall Rd. *M'head* —1D **8**
Vegal Cres. *Eng G* —4B **18**
Vermont Rd. *Slou* —3J **5**
Verney Rd. *Slou* —3B **20**
Vicarage Av. *Egh* —4H **19**
Vicarage Ct. *Egh* —5H **19**
Vicarage Cres. *Egh* —4H **19**
Vicarage Dri. *M'head* —1K **9**
Vicarage Gdns. *White W* —5A **8**
Vicarage La. *Wray* —7K **17**
Vicarage Pl. *Slou* —2F **13**
Vicarage Rd. *Egh* —4G **19**
Vicarage Rd. *M'head* —4G **3**
Vicarage Rd. *Stai* —2K **19**
Vicarage Wlk. *Bray* —1K **9**
Vicarage Way. *Coln* —6D **20**
Victor Clo. *M'head* —4C **2**
Victoria Rd. *Eton W* —3H **11**
Victoria Rd. *Slou* —7G **7**
Victoria Rd. *Stai* —2K **19**
Victoria St. *Eng G* —5C **18**
Victoria St. *Slou* —1E **12**
Victoria St. *Wind* —7C **12**

Victor Rd. *Wind* —2B **16**
Village Rd. *Dor* —2E **10**
Village Shop. Cen. Slou —1E **12**
(off Buckingham Gdns.)
Villiers Rd. *Slou* —4C **6**

Wade Dri. *Slou* —7K **5**
Wagner Clo. *M'head* —2A **8**
Waldeck Rd. *M'head* —5H **3**
Walker Rd. *M'head* —1H **9**
Walk, The. *Eton W* —4K **11**
Wallis Ct. *Slou* —1F **13**
Walnut Lodge. *Chalv* —2C **12**
Walpole Bus. Cen. *Slou* —5G **5**
Walpole Rd. *Old Win* —6G **17**
Walpole Rd. *Slou* —5G **5**
Waltham Clo. *M'head* —3A **8**
Waltham Rd. *White W* —5A **8**
Walton La. *Farn R* —1J **5**
Wapshott Rd. *Stai* —5K **19**
Ward Gdns. *Slou* —7H **5**
Ward Royal. *Wind* —7B **12**
Ward's Pl. *Egh* —5J **19**
Warner Clo. *Slou* —7H **5**
Warren Clo. *Slou* —2K **13**
Warren Pde. *Slou* —7H **7**
Warrington Av. *Slou* —5B **6**
Warrington Spur. *Old Win*
—5G **17**
Warwick Av. *Egh* —7J **19**
Warwick Av. *Slou* —3B **6**
Warwick Clo. *M'head* —2C **8**
Warwick Vs. *Egh* —7J **19**
Washington Dri. *Slou* —6G **5**
Washington Dri. *Wind* —2H **15**
Waterbeach Clo. *Slou* —5C **6**
Waterbeach Rd. *Slou* —5C **6**
Waterman Ct. *Slou* —7H **5**
Watermans Bus. Pk. *Stai* —3K **19**
Water Oakley. —5C **10**
Waterside Dri. *L'ly* —1A **20**
Wavell Gdns. *Slou* —2J **5**
Wavell Rd. *M'head* —6C **2**
Wavendene Av. *Egh* —6H **19**
Waverley Rd. *Slou* —4B **6**
Waylands. *Wray* —5K **17**
Wayside M. *M'head* —4G **3**
Webb Clo. *Slou* —3J **13**
Webster Clo. *M'head* —7B **2**
Weekes Dri. *Slou* —7A **6**
Welbeck Rd. *M'head* —7E **2**
Welby Clo. *M'head* —1B **8**
Welden. —5H **7**
Welland Clo. *Slou* —5C **20**
Wellbank. *Tap* —3B **4**
Wellcroft Rd. *Slou* —7A **6**
Wellesley Path. Slou —1F **13**
(off Wellesley Rd.)
Wellesley Rd. *Slou* —7F **7**
Welley Av. *Wray* —3K **17**
Welley Rd. *Wray & Hort* —5K **17**
Wellhouse Rd. *M'head* —2F **3**
Wellington Rd. *M'head* —5E **2**
Wellington St. *Slou* —7D **6**
Wells Clo. *Wind* —7K **11**
Wendover Pl. *Stai* —4K **19**
Wendover Rd. *Burn* —4E **4**
Wendover Rd. *Stai* —4J **19**
Wentworth Av. *Slou* —2K **5**
Wentworth Cres. *M'head* —6D **2**
Wentworth Ind. Ct. *Slou* —2J **5**
Wesley Dri. *Egh* —5G **19**
Wesley Pl. *Wink* —7E **14**
Wessex Way. *M'head* —1C **8**
Westborough Ct. *M'head* —6D **2**
Westborough Rd. *M'head* —6D **2**
Westbrook. *M'head* —4B **10**
West Ct. *Bray* —1K **9**
West Cres. *Wind* —7J **11**

Westcroft—York Rd.

Westcroft. *Slou* —3A **6**
West Dean. *M'head* —4G **3**
W. End La. *Stoke P* —1D **6**
Westfield La. *Wex* —5J **7**
Westfield Rd. *M'head* —5C **2**
Westfield Rd. *Slou* —3A **6**
Westgate Cres. *Slou* —6J **5**
Westgate Retail Pk. *Slou* —6K **5**
Westlands Av. *Slou* —5F **5**
Westlands Clo. *Slou* —5F **5**
Westmead. *M'head* —2G **3**
Westmead. *Wind* —2A **16**
Westmorland Rd. *M'head* —5E **2**
Weston Rd. *Slou* —4J **5**
West Point. *Slou* —7G **5**
West Rd. *M'head* —5F **3**
West St. *M'head* —5G **3**
Wethered Dri. *Burn* —4E **4**
Wetton Pl. *Egh* —4F **19**
Wexham. —3H 7
Wexham Court. —5H 7
Wexham Ct. *Wex* —5H **7**
Wexham Pk. La. *Wex* —3H **7**
Wexham Rd. *Slou & Wex* —1F **13**
Wexham Street. —1H 7
Wexham St. *Wex & Stoke P*
—3G **7**
Wexham Woods. *Wex* —4H **7**
Wharf Rd. *Wray* —6H **17**
Wheatbutts, The. *Eton W* —3J **11**
Wheatfield Clo. *M'head* —1B **8**
Wheatlands Rd. *Slou* —2G **13**
Wheelwrights Pl. *Coln* —6D **20**
Whitby Rd. *Slou* —6B **6**
Whitchurch Clo. *M'head* —1F **3**
White Acres Dri. *Holyp* —4K **9**
Whitebrook Pk. *M'head* —1K **3**
White Clo. *Slou* —7C **6**
Whiteford Rd. *Slou* —4D **6**
Whitehall Farm La. *Vir W* —7E **18**
Whitehall La. *Egh* —6F **19**
Whitehart Rd. *M'head* —5G **3**
White Hart Rd. *Slou* —2C **12**
Whitehaven. *Slou* —6E **6**
White Hermitage. *Old Win*
—4H **17**

White Horse Rd. *Wind* —2G **15**
Whitehouse Way. *Slou* —2J **13**
Whiteley. *Wind* —6H **11**
White Lilies Island. *Wind*
—6K **11**
White Paddock. *M'head* —3B **8**
White Rock. *M'head* —3J **3**
Whites La. *Dat* —5G **13**
White Waltham. —5A 8
Whittaker Rd. *Slou* —3G **5**
Whittenham Clo. *Slou* —7F **7**
Whittle Parkway. *Slou* —5G **5**
Whurley Way. *M'head* —2F **3**
Wickets, The. *M'head* —5D **2**
Wickett, The. *Chalv* —2D **12**
Wickham La. *Egh* —6G **19**
Wick La. *Eng G* —5A **18**
Wick Rd. *Eng G* —7A **18**
Widbrook Rd. *M'head* —1J **3**
Wient, The. *Coln* —6D **20**
Wildgreen N. *Slou* —3B **20**
Wildgreen S. *Slou* —3B **20**
Wilford Rd. *Slou* —3K **13**
Willant Clo. *M'head* —3A **8**
William Ellis Clo. *Old Win*
—4F **17**
William Hartley Yd. *Wex* —3G **7**
William St. *Slou* —1E **12**
William St. *Wind* —7C **12**
Willoners. *Slou* —3K **5**
Willoughby Rd. *Slou* —2B **20**
Willowbrook. *Eton* —3C **12**
Willow Clo. *Coln* —6D **20**
Willow Pde. *Slou* —2B **20**
Willow Pl. *Eton* —5B **12**
Willows Lodge. *Wind* —6G **11**
Willows Riverside Pk. *Wind*
—6F **11**
Willows, The. *Wind* —6G **11**
Willow Wlk. *Eng G* —4C **18**
Willow Wood Clo. *Burn* —1E **4**
Willson Rd. *Eng G* —4B **18**
Wilmot Rd. *Burn* —2E **4**
Wilton Cres. *Wind* —3G **15**
Wiltshire Av. *Slou* —3B **6**
Winchester Dri. *M'head* —2C **8**

Windermere Clo. *Egh* —6H **19**
Windermere Way. *Slou* —4F **5**
Windmill Clo. *Wind* —1A **16**
Windmill Rd. *Slou* —7C **6**
Windmill Shott. *Egh* —5F **19**
Windrush Av. *Slou* —2C **20**
Windrush Way. *M'head* —4G **3**
Windsor. —7C 12
Windsor & Eton Relief Rd. *Wind*
—7A **12**
Windsor Brass Rubbing Cen.
(off High St., Windsor
Parish Church) —7C **12**
Windsor Bus. Cen. *Wind* —6B **12**
Windsor Castle. —6D 12
Windsor Castle. *Wind* —7D **12**
Windsor Clo. *Burn* —3F **5**
Windsor Guildhall. —7C 12
Windsor La. *Burn* —3F **5**
Windsor Racecourse. —5K 11
Windsor Rd. *Dat* —6F **13**
Windsor Rd. *M'head & Wind*
—2H **9**
Windsor Rd. *Old Win & Water O*
(Maidenhead Rd.) —6E **10**
Windsor Rd. *Old Win & Water O*
(Straight Rd.) —7H **17**
Windsor Rd. *Slou* —2D **12**
Windsor Rd. *Wray* —5K **17**
Windsor St George's Chapel.
—7C **12**
Winkfield Rd. *Wind & Wink*
—7F **15**
Winston Ct. *M'head* —4C **2**
Winter Hill Rd. *Cook* —2B **2**
Wintoun Path. *Slou* —3H **5**
Winvale. *Slou* —2D **12**
Winwood. *Slou* —5H **7**
Withey Clo. *Wind* —7H **11**
Withycroft. *G Grn* —5K **7**
Wolf La. *Wind* —2G **15**
Wood Clo. *Wind* —3B **16**
Woodcote. *M'head* —6E **2**
Woodfield Dri. *M'head* —6B **2**
Woodford Way. *Slou* —2K **5**
Woodhaw. *Egh* —3H **19**

Woodhurst N. *M'head* —3K **3**
Woodhurst Rd. *M'head* —3J **3**
Woodhurst S. *M'head* —3K **3**
Woodland Av. *Slou* —6C **6**
Woodland Av. *Wind* —3J **15**
Woodlands Bus. Pk. *M'head*
—3B **8**
Woodlands Park. —3A 8
Woodlands Pk. Av. *M'head*
—3B **8**
Woodlands Pk. Rd. *M'head*
—3B **8**
Wood La. *Slou* —2J **11**
Woodstock Av. *Slou* —3J **13**
Woodstock Clo. *M'head* —3G **3**
Woolley Firs. *M'head* —7A **2**
Woolley Green. —7A 2
Wootton Way. *M'head* —6D **2**
Worcester Clo. *M'head* —2D **8**
Worcester Gdns. *Slou* —1C **12**
Wordsworth Rd. *Slou* —3G **5**
Worple, The. *Wray* —5K **17**
Wraysbury. —5K 17
Wraysbury Rd. *Stai* —1H **19**
Wren Ct. *L'ly* —2B **20**
Wright. *Wind* —2F **15**
Wright Sq. *Wind* —2G **15**
Wright Way. *Wind* —2F **15**
Wyatt Rd. *Wind* —2G **15**
Wylands Rd. *Slou* —3B **20**
Wymers Clo. *Burn* —1E **4**
Wymer's Wood Rd. *Burn* —1D **4**
Wyndham Cres. *Burn* —1E **4**

Yard Mead. *Egh* —2G **19**
Yarmouth Rd. *Slou* —6B **6**
Ye Meads. *Tap* —7B **4**
Yeoveney Clo. *Stai* —1K **19**
Yeovil Rd. *Slou* —5H **5**
Yew Tree Clo. *M'head* —4F **3**
Yew Tree Rd. *Slou* —2F **13**
York Av. *Slou* —5B **6**
York Av. *Wind* —1A **16**
York Rd. *M'head* —6G **3**
York Rd. *Wind* —1A **16**